La fábrica de botones

País Invisible
Editores

LA FÁBRICA DE BOTONES

Sandra Santana

PAÍS INVISIBLE
EDITORES

La fábrica de botones

ISBN: 978-1-64131-160-1

© Sandra Santana

Primera edición: diciembre de 2018

Segunda edición: junio de 2021

Correo electrónico de la autora: lafabricadebotones@gmail.com

Página en FB: Sandra Santana Escritora

País Invisible Editores

Editor y concepto creativo: Emilio del Carril (emiliodelcarril@gmail.com)

Correctora: Mariana González (marianagonzalez.edicion@gmail.com)

Diagramación: Eric Simó (ericji28@yahoo.com)

Diseño de cubierta: Verónica Gamarra (veronica-cgl@hotmail.com)

Fotografía de la autora: Zayra Taranto

La versión original de esta novela fue la tesis de maestría en Creación Literaria de la Universidad del Sagrado Corazón, sometida por la autora y aprobada con distinción en julio de 2014.

A mi madre,
fuente de mi inspiración primera.

A mis hijos,
prolongación de mi fuente.

Prólogo
La fábrica de botones de Sandra Santana

Constantemente, el cine se nutre de la literatura, ya sea con una milimetrada representación o una interpretación particular con elementos comunes a la historia general. Reconozco que los libros, como las películas, cuentan con un lenguaje propio (palabra versus imagen y sonido, metáforas que se convierten en luces, encuadres o música). Reconozco, también, que ambas expresiones artísticas tienen un tiempo y un espacio propio, y, aun así, afirmo que la novela *La fábrica de botones* de Sandra Santana, posee todos los elementos para convertirse en una gran película.

***

Leí este texto, por primera vez, hace algunos años, cuando participé como lectora en el comité de tesis de Sandra Santana. La autora presentó esta novela como documento requerido para obtener el grado de maestría en Creación Literaria, de la Universidad del Sagrado Corazón, en Puerto Rico.

La impresión fue la misma: un texto ágil, interesante, bien narrado, de una cohesión estructural sorprendente, pero, sobre todo, un durísimo y hondo análisis de la sociedad puertorriqueña; una radiografía descarnada, un retrato sin *photoshop* a eso que llamamos humanidad.

Este libro encanta y duele; binomio que descubro en la mayoría de los libros que presento en los últimos meses. Parece que la turbulencia, mezquindad y atrocidad de los tiempos sangra en la palabra.

10

***

Fundamento mi tesis con un breve análisis sobre la función fundamental del elemento-espacio en esta novela, la construcción de los personajes más importantes y una mirada a los símbolos que la sostienen, con el propósito de mostrar cómo se funden estos elementos hasta crear un cuerpo de novela compacto, o lo que llamo a veces "un bloque narrativo".

El elemento espacio

Sobresale la ciudad, que no solo es un punto geográfico o un territorio urbano; la ciudad es también un espacio literario, un ámbito en el que se funden el mito, la invención y la realidad. La filósofa española María Zambrano dice: "Una ciudad sin escritores es un templo vacío, una plaza sin centro. Una ciudad sin escritores es un complejo aglomerado, algo que puede desaparecer sin que se note su ausencia". Por otra parte, señala Luis García Jambrina: "... la ciudad es un texto que nunca se termina de escribir, y que nunca terminamos de leer, porque en la ciudad se cruzan la invención y la memoria". En la página 25, Sandra

Santana nos muestra la ciudad: "...incrementaba la pésima opinión que tenía de San Juan. No le gustaba la ciudad. La gente hablaba en un tono estridente... música a volumen... excesivo... Los vendedores de lotería gritaban sus consignas... Las madres, al regañar a sus hijos, usaban lenguaje amenazante... malos olores por todas partes: orín en las escaleras, basura acumulada... moscas... excrementos de animales... emanaciones de alcantarillas...". Esta descripción me trasladó a la primera página de la singular novela de Patrick Süskind, *El perfume.*

De entrada, la novela de Sandra Santana nos inserta en el caos, en el laberinto, en el desorden, confirmando que las ciudades, a mi modo de ver, están hechas de sueños, pero también de delirios y pesadillas. Dentro de la ciudad está El Punto, un pequeño cosmos de repercusiones alarmantes, donde se recrea la trama. El Punto queda en el callejón, metáfora del encierro, del entrampamiento, del sin salida, hogar del Minotauro que te arrancará la vida. El Punto queda cerca de la Iglesia, y no soy tan ingenua como para creer que la autora no disfrutó este cinismo. El Punto mata, la Iglesia salva (aseguran), pero El Punto se le queda con el territorio.

La audaz pluma de la narradora vuelve a trazarnos los perfiles de este segundo espacio, El Punto. Allí, un niño es utilizado para buscar la mercancía a cambio de una bolsa de dulces. En una de las paredes de El Punto hay un grafiti, en el que destacan vacas, toros, perros, gatos, ángeles, demonios... (nada humano), atropellados en un universo de miserias. Cuando El Boquilla (uno de los personajes que comentaré más adelante) contempla el grafiti de su Punto, piensa: "Una isla dejada de la mano de Dios" (página 79).

El hospital es otro de los subespacios importantes en esta novela. Aunque en un hospital esperamos ambiente de seguridad y protección a la vida, este espacio es un emporio de tensiones, de intentos de asesinatos, de pasillos por donde transcurren los malvados, gente que conduce ambulancias en las que transportan a niñas raptadas...

Lo mismo ocurre con el Hotel Dupont Plaza, espacio de distracción en el que Santana recrea tensiones laborales, misterio, engaños, miedo, traiciones...

Los personajes

Los personajes (bien confeccionados, bien construidos) abonan a esta atmósfera densa y terrible. Fausto es un delincuente que siente fascinación por las armas y el dinero, mata con placer y adora su pistola Glock 17P-80: "Matar era más fácil de lo que había imaginado. Hubiera deseado vaciar todas las balas en el cuerpo de aquel desgraciado" (página 70). Este personaje fuma todo el tiempo, generando una simbiosis extraña y destructiva. Fausto sostiene su cigarrillo, el cigarrillo se introduce en los labios de él, aspira, exhala, hombre y cigarrillo son uno, y Fausto, como su cigarrillo, se va muriendo, desgastando poquito a poco, "despacito", como dice la famosa canción de Luis Fonsi.

El Boquilla es un muchacho de veinte años que lleva cicatrices en todo el cuerpo y odia los espejos. Resulta que se escondía a fumar en un establo. Un día, un fósforo medio apagado inició un fogonazo, y no pudo escapar; su abuelo lo había encerrado en el establo. El abuelo se suicidó antes de que El Boquilla pudiera matarlo. Cuando Fausto mira a El Boquilla, piensa: "Desagradable posta ambulante de carne quemada" (página 82).

El Negrito Joselito (un adicto a quien El Boquilla protege), el hijo de Maru la drogadicta (quien vende su cuerpo para conseguirle la cura a su madre), Genaro, víctima del Big Brother (figura antitética, porque del hermano mayor solo esperamos cuidados y protección), Claudia (perdida en la añoranza de una fábrica que ya no existe, su padre amenazado de muerte y arrepentido de sus acciones), una niña pelirroja raptada (especie de nueva bella durmiente a causa de somníferos, en un estado de indefensión tan grande, que una quisiera rescatarla y abrazarla. Este personaje me recordó también a Delgadina, niña personaje de la novela de García Márquez, *Memorias de mis putas tristes*, a quien el cansancio por la explotación laboral y social la sumergía en una especie de bruma que la salvaba de su realidad). En fin, todos los personajes se intersecan en estos espacios donde tres grandes símbolos se imponen: el fuego, la oscuridad y los botones.

***

El fuego ocurrido en el Dupont Plaza es uno de los eventos históricos recreados en la novela. También ocurre otro fuego en una fábrica importante en la trama. Son fuerzas que aniquilan la vida: "Todavía la brisa esparcía olores a humo y a cosas chamuscadas. Los recuerdos eran como una corona de espinas que le punzaban la cabeza" (página 49), "No podía apartar de su mente la imagen aterradora de aquel infierno" (página 33), "... el auto parecía una llama en fuga" (página 246). La reiteración de la tiniebla, de lo cenizoso, de lo bruno, frente a la luz cegadora del fuego, crean un espacio nuevo de alcance surrealista: "La oscuridad era absoluta" (página 24), "La oscuridad era propicia..." (página 41), "Se escuchó una explosión, seguida de otra más, y lo demás fue el Hades". (página 51), "...angosto tramo tan oscuro... Esta jodida noche no acaba de terminar... Solo vio sombras que se movían amenazantes..." (página 56), "Qué noche larga... ¡y tanta oscuridad!" (página 61), "...un sentimiento que se le antojaba oscuro..." (página 78), "Esa noche tampoco había luna" (página 162), "... esfuerzo inútil porque la oscuridad era impenetrable. ¡No se ve un carajo!" (página 163), "Fausto bajó con la niña en brazos... estaba oscuro" (página 185). En la última página, en la última línea, la voz narrativa insiste: "Se ajustó el abrigo y, con paso lento, caminó hacia la casa. Pronto iba a oscurecer" (página 246).

Los botones trabajan la maldad que puede contener un objeto tan cotidiano, es decir, la maldad puede colarse por cualquier lugar. El botón en suerte contiene la tiniebla, la ambición, es otro micro mundo que se reviste de cierta belleza para ocultar su verdadera identidad.

Pero, en efecto, Sandra Santana nos muestra el país en que vivimos, la oscuridad que nos cierne, el fuego que nos quema, las contradicciones que nos vuelven estúpidos, la ciudad que nos amenaza, la jungla. Frente al mito de la ciudad como espacio de libertad y razón, está nuestra ciudad como desierto, red de lazos y de trampas, lugar de exilio, explotación y fracaso. Confirma que toda ciudad es un gran relato, una novela de novelas, una tupida red de narraciones que se bifurcan, un palimpsesto sobre el que escribimos una y otra vez, pero nos arropa la oscuridad.

No obstante, creo firmemente, como Jambrina, que, en el subsuelo de toda ciudad perdida hay una ciudad oculta en espera de que los seres humanos la descubran; una ciudad que representa el alma colectiva de nuestros mejores deseos, ciudades que son un segundo cuerpo para quienes las descubran. Creo que ese es el reto que nos deja Sandra Santana: desechar tanta oscuridad y encontrarnos en el abrazo consolador de la luz.

Rubis Camacho
Puerto Rico

Desde el fondo de los miedos

$\mathcal{R}$ecuerdo el malestar que sentí la primera vez que escuché una noticia sobre secuestros de menores. Fue una impresión tan fuerte que se quedó grabada en mi mente de niña; oculta en el fondo de los miedos más temibles. "Pero esas cosas no ocurren en Puerto Rico", pensaba con cierto alivio.

Pasaron los años, y cuando decidí escribir una novela, aquella memoria salió a flote; y con ella la idea y el título: *La fábrica de botones*: una novela de suspenso cuyo tema central sería la trata de menores en Puerto Rico. De inmediato, comencé el proceso de investigación sobre el tema. En 2010, la Universidad del Sagrado Corazón llevó a cabo una *Jornada contra la Violencia*. Asistí a varias de las charlas. Una de ellas fue ofrecida por el exsecretario de Educación, Dr. César Rey. Se trataba de la primera investigación de la Fundación Ricky Martin, titulada *La trata de personas en Puerto Rico: Un reto a la invisibilidad*. Según el informe, en el 2010, la trata de personas era el tercer crimen más lucrativo en el mundo. Para el 2014, se estimaba como el segundo, generando noventa y seis mil millones de dólares al año. La trata conlleva la explotación de seres humanos para propósitos de prostitución, violencia sexual, pornografía infantil, pederastia, turismo sexual, matrimonios serviles, trabajos o servicios forzados, esclavitud o prácticas análogas a la esclavitud, la servidumbre o la extracción de órganos. Hasta ese momento, no se hablaba de la trata de personas como un crimen que tuviera lugar en Puerto Rico.

Entre los hallazgos que se detallan en el informe, se menciona que luego del incendio en el Hotel Dupont Plaza, en 1986, se encontró material de pornografía infantil en veinte habitaciones. Decidí incluir al hotel en la trama, lo que me presentó el reto de situar y ambientar la novela en ese año. Afortunadamente, vivimos en plena era de la tecnología, y conseguí información muy pertinente.

Escribir sobre ese conflicto obrero-patronal y sus consecuencias tan dolorosas fue otro gran reto. Además de los detalles que se manejaron en la prensa, me enteré de otros datos por confidencias que recibí durante mi proceso de investigación, en el que me reuní con sindicalistas, gerenciales y testigos del incendio. Decidí darle otro giro a la historia porque escribo ficción, y también porque las cosas no siempre son lo que parecen.

La trama de la novela gira alrededor de una organización que dirige y manipula a las personas para lograr sus propósitos nefarios. ¿Su nombre? La fábrica de botones. Uno de los negocios principales de la organización es la trata de menores. En el Puerto Rico de 1986, era un crimen invisible, de manera que así es tratado en esta novela. Por eso es visto como algo común dentro de la historia que un niño con discapacidad mental vigile el punto de drogas de su padre, o que un niño se prostituya para ayudar a su madre usuaria de drogas, o que niñas, a muy temprana edad, estén en el negocio de la prostitución, por dinero.

Uno de los personajes que me gustó mucho trabajar fue el Boquilla, uno de los bandidos principales. Se trata de un joven de veinte años que sufrió quemaduras en todo el cuerpo cuando era niño, y que representa a los sectores marginados de la sociedad. Quería caracterizarlo con la mayor propiedad posible, así que consulté al director del Área de Quemados del Hospital Industrial, Dr. Héctor Benítez, quien me dio información valiosa acerca de los pacientes con quemaduras graves.

Como parte de mi investigación, visité varios lugares muy interesantes que me inspiraron para construir la ambientación adecuada de la historia. La fábrica de uniformes Blanco y Riera, en Hato Rey, me sirvió de modelo para construir la de Genaro Sanfiorenzo. El gerente Luis Torres me brindó toda la información que requerí. En la Casa de los Botones Vintage, en Santurce, encontré algo fascinante: un botón que, según la propietaria Mildred Rivera, data de principios del Siglo XX y debe de haber pertenecido a un actor o amante del teatro, porque es la imagen de un payaso. Me fascina la ambigüedad del botón porque parece más un demonio que un payaso, lo que se ajusta muy bien a la naturaleza de la fábrica de botones. En ambas ocasiones me acompañó mi hermana Blanca, costurera con muchos años de experiencia, que se entusiasmó mucho con la idea de una novela basada en una fábrica de botones.

Quería ubicar la fábrica de uniformes en un pueblo del interior de la Isla y en una hacienda. Le conté a mi amiga Evelisa Vélez, quien, con mucho entusiasmo, me llevó a San Sebastián de las Vegas del Pepino para echar un vistazo a su bello pueblo. La cascada del Salto Collazo me impresionó tanto que no resistí la tentación de ubicar allí una escena importante: la primera.

Dispuestos los detalles primordiales, la caracterización de los personajes fue una labor muy retadora, particularmente porque en una trama de suspenso nadie es quien parece ser. La motivación de cada uno termina siendo motivo de cuestionamiento. Hay preguntas cuyas respuestas se encuentran hacia el final de la historia; otras no tienen. Y hay situaciones cuya ambigüedad aparente generan interpretaciones diversas del lector y de los personajes. El final es uno abierto, porque la fábrica de botones cambia de empleados, pero nunca cierra operaciones.

Terminé de escribir la novela a finales de 2013. La primera edición fue publicada en diciembre de 2018. Desde entonces he visitado universidades y colegios privados para presentarla. He contado con la compañía de expertos en el tema de la trata de menores, como el Dr. César Rey y la profesora Ruth Hernández, para orientar a los jóvenes con información precisa y estadísticas actuales acerca de ese crimen.

Como escritora consciente de mi entorno y sus problemáticas particulares, confío en el poder transformador de la literatura. De manera que mi mayor deseo es crear conciencia sobre los problemas sociales que se abordan, muy en especial la trata de menores en nuestra isla, un problema real que debemos conocer para poder ayudar en la lucha para erradicarlo.

La versión original de esta novela fue mi proyecto de tesis para el grado de maestría en Creación Literaria de la Universidad del Sagrado Corazón, y fue presentada el 14 de julio de 2014. Mi agradecimiento infinito al Dr. Luis López Nieves, mi director de tesis, y a mis lectores, los profesores Rubis Camacho y Alberto Martínez Márquez. Gracias a José Borges, quien fungía como coordinador de la maestría ese año, a todos los profesores, amigas y amigos que me acompañaron en la defensa de tesis. Gracias por acompañarme en esa etapa del camino. Gracias a Emilio del Carril, editor extraordinario con quien trabajé la novela para su publicación. Sobre todo, gracias a ustedes, mis queridos lectores y lectoras, que le dan vida el texto con su lectura.

Sandra Santana

Capítulo 1

La niña pelirroja, amarrada a la camilla, permanecía dormida bajo los efectos del somnífero. Los hombres bajaron de la ambulancia y miraron a ambos lados de la carretera. Abrieron las puertas traseras y sacaron al primero de los dos cadáveres metido en una bolsa negra de plástico, y lo lanzaron al agua. Pesaba en exceso por los bloques que lo acompañaban. Sacaron al segundo, en iguales condiciones, aunque un poco más liviano, y también lo arrojaron. Otearon desde el puente. El más alto levantó el pulgar izquierdo en señal de aprobación, mientras el otro asentía con la cabeza. Retornaron a sus lugares y se pusieron en marcha a toda velocidad. El chofer se liberó de los guantes con un movimiento ágil y los puso debajo del asiento. Retomó el cigarrillo que había dejado en el cenicero.

En la primera curva después del Salto, una caja se cayó de la banca y, al abrirse, media docena de botones coronados con piedras de cristal en colores rodaron por el suelo de la ambulancia. El hombre avanzó a recogerlos. Con el ceño fruncido, examinó las piezas con sumo cuidado y volvió a poner la preciada colección en el maletín de primeros auxilios. *Menos mal que están protegidos.* Miró a la niña. Si despertaba antes de lo previsto, habría que inyectarla otra vez con uno de los blancos para que durmiera unas cuantas horas más.

Pensó en el caudal que le significaba aquella misión y palpó su cartera en el bolsillo trasero del pantalón. La comisura izquierda de los labios se le levantó y dibujó una sonrisa a medias. Cargaba con un adelanto que recibió como comisión. Era una suma cuantiosa. Se quitó los guantes y encendió un cigarrillo, en tanto que miraba al chofer que conducía absorto.

24

La ruta hacia San Juan era larga y tediosa. El conductor prendió la radio y localizó la emisora que tocaba música en inglés. Encendió otro cigarrillo, ayudándose con la colilla del anterior, y comenzó a marcar con los dedos sobre el volante el compás de la canción. Unos metros adelante, le hizo una seña leve con la mano a un mozalbete, quien procedió a retirar el letrero de desvío que impedía el paso por la carretera que conducía al Salto Collazo. Miró por el espejo retrovisor. La oscuridad era absoluta.

Lo más difícil era asegurarse de que el área estuviera despejada, por eso trabajaban de noche. En aquel paraje, el ruido imponente de la cascada fue la escolta de los muertos hasta su última morada, en el pozo profundo que alimentaban las aguas al otro lado del puente, donde permanecerían, a menos que Big Brother dispusiera otra cosa.

Capítulo 2

*T*uvo la sensación de que la observaban mientras se comía unas tostadas en el área de las mesas, afuera de la pequeña cafetería que estaba frente al Hospital Industrial. No podía precisar el porqué de aquella sensación. En el Centro Médico, no importaba dónde se moviera, encontraba una aglomeración de personas; lo más natural era que se mirasen unos a otros. Pero lo que intuía era algo más, como una presencia difusa, siniestra, en extremo perturbadora. Todo cuanto ocurría a su alrededor se le antojaba intolerable e incrementaba la pésima opinión que tenía de San Juan. No le gustaba la ciudad. La gente hablaba en un tono estridente, aun a corta distancia unos de otros. Los coches dejaban una estela de ruido del motor y de música a un volumen tan excesivo, que ella lo sentía como una agresión. Los vendedores de lotería gritaban sus consignas para atraer a los compradores hacia la fortuna prometida. Las madres, al regañar a sus hijos, usaban lenguaje amenazante; no obstante, ellos seguían con sus berrinches. Tanto bullicio la aturdía. Como si fuera poco, había malos olores por todas partes: orín en las escaleras, basura acumulada en montículos que las moscas convertían en su paraíso, y la escena se completaba con excrementos de animales por doquier y las emanaciones de las alcantarillas que tornaban el aire irrespirable. Sentía que todo era caótico en la capital, en contraste con la paz de su pueblo, de su campo, de su hacienda. Tres días fueron suficientes para tomar la decisión: no se matricularía en el Recinto de Río Piedras de la Universidad de Puerto Rico; estudiaría en Arecibo. Allá el ambiente le resultaba menos intimidante. No soportaba la zona metropolitana, y después de lo que le sucedió a su padre, lo único que deseaba era regresar a la casa y estar cerca de él.

El recuerdo de aquella víspera de Nochebuena no la abandonaba. Había inspeccionado los uniformes terminados que serían enviados a la base militar la mañana siguiente. Guardaba el último paquete cuando escuchó la voz de su papá. Hablaba por el celular y, por el tono, pudo advertir que estaba a punto de estallar en cólera.

—Es peligroso… ¿Y si no resulta?... No lo hemos hecho antes… Oye, es una empresa arriesgada… No, no, no, no es que me acobarde. ¿Qué garantía tengo de que será como dices?... ¡Claro! Tú no eres el que se expone… Necesito pensarlo… ¿No puede esperar?

Terminó la llamada. El sonido de sus pasos de un lado a otro denotaba su intranquilidad. El murmullo apenas audible al principio pasó a ser un repertorio de palabrotas. Dio un puñetazo en la mesa de corte de telas y se marchó mascullando:

—¡Maldito bastardo!

Claudia se recostó del estante donde había colocado la orden con el sello de inspección. Desde hacía varios días, notaba a su padre más irritable que de costumbre. Se encerraba en su oficina por largos períodos y salía molesto. Algo pasaba, y temía que fuera algo grave; parecía como si alguien lo estuviera presionando. *¿Por qué? ¿Para qué?* Un escalofrío la estremeció.

Inmersa en sus cavilaciones, no se dio cuenta de que un hombre se detuvo a su lado. Se sobresaltó al escuchar su nombre en boca del extraño, que, de inmediato, tiró una caja diminuta en la mesa y le dijo:

—Para tu padre.

Sin darle tiempo a reaccionar, el desconocido se alejó. Cruzó la calle y desde la otra acera la miró por encima de las gafas oscuras, ladeó la cabeza, encogió los hombros y entró al hospital. Claudia asoció lo peculiar de sus gestos y movimientos al caminar con los pandilleros que había visto en algunas películas. Se sintió alarmada, al punto de que dejó el café a medio terminar y se fue tras él. Atravesó el vestíbulo en dirección a las escaleras. Al llegar al tercer piso, se detuvo para tomar aire y aliviar la sensación de asfixia. Intentó abrir la puerta, pero estaba cerrada. En el momento escuchó un golpe fuerte que provenía de arriba y se sobresaltó aún más. Reinició el ascenso atropelladamente mientras su desesperación aumentaba. Hiperventilaba y el eco de sus pasos magnificaba el terror que la dominaba. Logró acceso al cuarto piso. Localizó otra escalera y bajó. Llegó sofocada a la habitación donde estaba su padre y lo encontró dormido; respiraba con dificultad. La manga de oxígeno estaba en el piso y la máquina de monitoreo del corazón estaba desconectada. Corrió hasta la recepción en busca de la enfermera. No había nadie. Comenzó a gritar hasta que acudió una y cuando llegaron al cuarto todo estaba en orden.

—¿Qué ocurre, joven? —alcanzó a escuchar a la enfermera, antes de desmayarse.

Un vaho de alcohol la hizo despertar.

—¡Papá! ¿Cómo está papá? —Desesperada intentaba incorporarse.

—Su padre está estable. Usted es la que necesita descanso. Quédese aquí tranquila, dormir le hará bien.

Claudia no sabía qué decir.

—Trate de dormir y no se aflija; en estas circunstancias se le puede afectar el sistema nervioso a cualquiera. Descanse.

El doctor le dio instrucciones a la enfermera antes de retirarse.

—Si necesita algo, llame —le sugirió la enfermera, señalando el intercomunicador para llamadas de emergencia en la pared, a la altura de la cabecera de la cama.

Claudia intentaba aclarar su mente, pero estaba muy contrariada. Podía jurar que fue cierto lo que vio. Miró a su padre en la otra cama; se veía tranquilo. Se incorporó y sacó del bolsillo del abrigo la cajita blanca. No estaba sellada, así que no pudo resistir la curiosidad y la abrió. Un botón forrado con tela negra reposaba en una almohadilla de algodón. Era similar a los que usaban en la fábrica para algunos uniformes. Por instinto, olfateó y notó un tenue olor a pólvora. Como si quemara, la tiró en la mesita. Un temblor violento se apoderó de ella. No entendía nada. Su turbación iba en aumento.

—¡Dios mío! —murmuró, y se dejó caer en la cama.

Se quedó dormida, acunada por su propio llanto. El fuego inundaba su mente. Siempre era igual: se veía sola, impotente, desesperada ante el infierno que consumía la fábrica como una bestia de llamas. De frente a la fatalidad, el calor sofocante la asfixiaba y un grito se le ahogaba en la garganta. Aterrada, emergía del reino oscuro de los sueños para enfrentarse con la pesadilla de la realidad.

Capítulo 3

Se podía palpar el ambiente de tensión en el Hotel Dupont Plaza. Tres empleadas comentaban en la cocina:

—El delegado anunció que la junta va a pedir un voto de huelga en la asamblea de mañana si no se llega a un acuerdo en la negociación de hoy. ¿Qué piensan ustedes? —preguntó Adela mientras ponía unas copas en una bandeja.

—Fíjate, yo lo que creo es que ya esto se ha extendido más de lo necesario —musitaba Mabel, mientras miraba hacia afuera—. Si el patrono no quiere bregar, nos vamos a la huelga. Llegó el momento de que nos demos a respetar.

—Yo voy a votar en contra. No sé ustedes, pero yo no me puedo quedar sin cobrar. ¿Quién va a mantener a mi familia? Miren, esto va a seguir funcionando con otras personas que segurito ya están haciendo turno para colarse en cuanto salgamos. Los que nos vamos a chavar somos nosotros —replicó Carola, y volvió a concentrarse en las servilletas, a las que les daba forma de cono para colocarles los cubiertos de forma glamorosa. El color rosa brillante de las uñas contrastaba con la monotonía de los cucuruchos blancos que iba acomodando en la canasta.

—Bueno, tú pareces gerencial, Carola —dijo Mabel molesta—. Si todos pensaran igual que tú, entonces sí que estaríamos jodidos. ¿Qué, tú no confías en la Unión? —Y continuó colocando trastos en la máquina lavaplatos.

—Ay, chica, es que estamos en otros tiempos. Las cosas deben resolverse de otra manera. A mí que no me perjudiquen y llevamos la fiesta en paz.

—Amigas, no vamos a pelearnos entre nosotras. Eso es lo que quiere el patrono, dividirnos —advirtió Adela, a la vez que frotaba una copa con una servilleta. A una seña de Mabel guardó silencio.

El gerente de cocina entró con un paquete. Dio una vuelta, hizo una reverencia y sonrió.

—Los chocolates suizos de míster W —anunció, y procedió a guardar la caja en el refrigerador.

—¿Está aquí otra vez? —inquirió Adela, a medio trecho del carro de servicio.

—Sí. Vino a despedir el año en la Isla. Ya hizo sus pedidos. Saben que es algo excéntrico —respondió el gerente, y aprovechó para tomar un vaso de ponche de frutas y una porción de bizcocho con azucarado azul y blanco.

—Sí, lo sabemos —murmuró Adela entre dientes.

Esperaron a que el gerente se fuera y continuaron la charla.

—Oigan, no me gusta el míster W ese —manifestó Adela, en tono misterioso, casi en un susurro.

—¿Qué ocurre? ¿Hay algo que yo no sepa? —Se le acercó Mabel.

—Sí, dinos, porque lo que soy yo, no sé nada —acució Carola, y terminó de acomodar las servilletas en un envase plástico.

—Es un no sé qué… ¿Cómo explicarles? Me da mala espina ese señor.

—¡Tú y tu sexto sentido! Ay, mi'ja, relájate. Hagan una pausa y esperen a que regrese, eh, que voy al baño.

—Se pone a veces tan impropia la Carola, que no la soporto. Cualquiera que la oye… Ni que ella fuera la única que pudiera afectarse por una huelga. A la verdad que sus quejas me sacan de carrera. Y quien la ve: por cualquier tontería sale corriendo a quejarse con el delegado. Ah, no, pero a la hora de sacrificarse culipandea. —Aspiró indignada—. Sigue, Adela, cuéntame.

—¡Ay, Mabel! Es que cuando vienen esos turistas que alquilan un piso completo y todo es tan restringido alrededor de ellos… —Le dio la espalda y puso a funcionar uno de los lavaplatos.

—¿Has sabido algo, has oído…?

—Bueno, ¿recuerdas la última vez que vino, hace un par de meses?

—Sí.

—Yo estaba fumando afuera, era tempranísimo. En una limusina que entraba me pareció… —Calló de forma abrupta, se movió hacia el estante de las tazas y agarró una.

—¿Qué viste? —la siguió Mabel.

—No, no sé —titubeó—, no estoy segura de lo que vi. Estaba oscuro. Quizás lo imaginé. Olvídalo. Ahí viene Carola, shhh. —Devolvió la taza a su lugar, se quitó el delantal y salió de la cocina.

Adela subió las escaleras rumbo al casino. Allí los ánimos no estaban tan caldeados, y ella aprovechaba los recesos para conversar con el empleado asignado a la entrada. Hablaban de temas que nada tenían que ver con el hotel y los conflictos obrero-patronales. Al concluir, miraba hacia adentro y soñaba con un golpe de suerte en las máquinas tragamonedas. *Si le acertara al* jackpot, *con gusto me largaría de aquí. Este ambiente de incertidumbre me tiene enferma.*

Capítulo 4

$\mathcal{D}$oña Margó, con la boca apretada en un mohín de chiquilla malcriada, miraba hacia la puerta. Leonora se dio por vencida. Tocó la campana para que recogieran el plato con la comida intacta y se dispuso a limpiarle la cara con suavidad a su viejita querida. Se le notaban las venas al relieve de la piel, que estaba tan fina por la edad. Le acariciaba la cabellera blanca con cariño, cuando un ruido fuerte la asustó. Era el jardinero intentando hacer funcionar la podadora. Aquel aparato alborotaba demasiado. Todos estaban muy alterados desde el incendio. Cada vez que se acordaba, se le saltaban las lágrimas. *Pobrecita, no merecía morir así. Habrá que mantener el féretro cerrado. ¡Qué terrible!* Se apoyó en el alféizar y juntó las manos a la altura del pecho, espantada por las condiciones, abrumadoramente adversas, que les habían sobrevenido. No podía apartar de su mente la imagen aterradora de aquel infierno en el que se convirtió el edificio. Rememoraba la urgencia con la que los empleados luchaban por apagar las llamas. Decenas de personas de otras fincas se unieron a las labores. Lograron rescatar a la mayoría de los operadores, pero las llamas se propagaron con excesiva rapidez y murieron cinco personas, entre ellas la señora Mariana.

Un leve chillido la ofuscó. La viejita se movía inquieta en la cama. Hacía tiempo que solo emitía unos gemidos ahogados. La volteó con delicadeza para que pudiera ver las copas de los árboles que a esa hora mecía la brisa suave. El verdor se reflejaba en sus ojos grises e inexpresivos. Estaba muy delgada y se quejaba mucho. La enfermedad de Alzheimer la consumía; Leonora intuía que era inminente el final. Lo lamentó por aquella mujer a quien acompañó durante cuatro décadas, la viuda joven que trabajó con tesón para criar a su único hijo, la fundadora de la fábrica de Uniformes Sanfiorenzo, la amiga, la confidente. Se sentó a su lado y le tomó las manos frías. La abrigó y comenzó a hablarle. Imaginaba que, desde algún recodo del laberinto sin salida que era su cerebro, tal vez la escuchara. Le contaba los acontecimientos recientes, sobre la familia, y se quedaba con ella hasta que se dormía.

Llamó al médico de cabecera y le pidió que la visitara tan pronto le fuera posible. Cabizbaja y con los ojos anegados, Leonora se desplomó en la mecedora. Había tejido un chal para regalárselo a doña Mariana el Día de Reyes. Ahora sería su mortaja, una última ofrenda de amor a su señora. Trató de continuar la labor, pero las lágrimas se obstinaban en desbordarse y le dificultaban completar los puntos de cierre.

La figura del ama de llaves lucía frágil contra el respaldo alto de la silla, elaborada con un entretejido de pajilla en tono pardo, rematada con una reluciente madera de caoba labrada. *Diciembre llegó con mala suerte.* La explosión todavía resonaba en sus oídos. Le preocupaba más que nadie la joven que quedó muy afectada por la pérdida inesperada de su madre. *Y don Genaro… Un hombre que ostentaba una hechura tan recia, ahora en esa condición de fragilidad tan lamentable. La amenaza de la muerte también se ciñe sobre él. ¡Cuánta calamidad! ¿Por qué? Pareciera que el destino se nos ha tornado en contra. Habrá que hacer un despojo en esta casa.*

Capítulo 5

Genaro despertó desorientado. No supo dónde se encontraba. Por un instante pensó que estaba en su habitación y que su esposa aparecería con el café mañanero. Tomó los lentes de la mesita para mirar a su alrededor y reconoció con pesar el lugar que se había convertido en su prisión durante los últimos días. Vio a su hija en la otra cama y sintió cómo se le mezclaba por dentro la ternura con el remordimiento. Hubiera querido abrazarla, aliviar en algo la infinita pena que a diario le ensombrecía los ojos. Se reprochó porque el mal estaba hecho. Lo único que podía hacer era intentar protegerla de más daños.

La semana anterior había sido muy dura. La víspera de la Navidad amaneció soleado. Circulaba un aire limpio tras las lluvias recientes, y las nubes, de un blanco radiante, se amontonaban como para brindarle cobijo al pesebre que estaba a la entrada del edificio, custodiado por dos jarrones con flores de pascua. El árbol de Navidad había sido decorado por las empleadas y lucía rebosante de guitarras, güiros, cuatros y panderos en miniatura, que sobresalían entre las escarchas, lazos y guirnaldas doradas. Todo relucía con las luces rojas que titilaban sin cesar. La fiesta de Nochebuena se iba a celebrar al aire libre. Los trabajadores se encargaban de colocar la carpa, y daban los últimos toques a la tarima donde se llevaría a cabo la competencia de improvisación de los trovadores del lugar y pueblos aledaños. Todo transcurrió sin novedad hasta el mediodía. Su esposa e hija estaban en la fábrica y se encargaban de los pormenores de la celebración. Entretanto, él se disponía a almorzar con el senador de distrito en un restaurante del pueblo. En el momento en que se iban a sentar a la mesa sonó el celular de Genaro. Era Ciprián, su asistente, que lo llamaba para darle la funesta noticia. Sintió el corazón descompasado. Le pareció una eternidad el camino de regreso. Desde lejos se divisaba la monstruosa columna de humo negro en ascenso. Al llegar, se enfrentó con la pesadilla. Bomberos, policías y paramédicos se movían por todas partes. Claudia se echó en sus brazos tan pronto lo vio. Gritaba desesperada, no conseguía articular una palabra coherente. Genaro preguntó por su esposa y le respondieron que la última vez que la vieron estaba en el taller. Se zafó de los brazos de su hija para ir a buscarla; tuvieron que aguantarlo para que no cometiera una locura. Ya no era factible intentar más rescates. Era imposible penetrar en aquel infierno.

Horas más tarde, cuando por fin pudo entrar a su cuarto, encontró una carta y un paquete, ambos de la Fábrica de Botones.

Capítulo 6

—¿ *Y*eso, loco? ¿De cuándo acá te gusta la música americana? —se burló Fausto.

—A la verdad que no entiendo un carajo, pero me gusta como suena —respondió el Boquilla soltando una risotada—. Y en mi casa hasta la bailo.

—¿Y tú bailas?

—Ja, ¿que si bailo? ¡Mejor que John Travolta! —En ese momento se empezó a agitar como un torbellino mientras cantaba: "You are the one that I want, uh, uh, uh, honey, the one that I want, uh, uh, uh…".

Ambos rieron por la chistosa demostración.

—Oye, Fausto, ojo con los botones premiados, eh, que te noto muy contentito. Pareces nene con juguete nuevo.

—Ingenioso el jefe, ¿ah?

—Está cabrón. En verdad, en verdad, que ese jefe tuyo está cabrón. —El Boquilla repiqueteaba sobre el volante al ritmo de la música—. Oye, ¿no te asusta que te puedas pinchar tú mismo y estirar la pata en un santiamén?

—No. Están envueltos en plástico por seguridad. Fíjate. —Fausto sacó uno y se lo mostró al socio—. A simple vista luce como un botón cualquiera. ¡Qué invento tan genial! Por dentro tiene unos perdigones diminutos que salen disparados por una aguja que se acciona cuando presionas.

Una vez dentro del cuerpo, el veneno se libera y es absorbido de inmediato. El efecto… ya has sido testigo.

—¡Diantre!

—El manejo es bastante seguro. Giras la argolla en contra de las manecillas del reloj; tienes que asegurarte de que encaje en la ranura correcta, porque tiene varias. Entonces se hace presión y ya. Los de las piedras negras tienen un veneno muy potente: una inyección letal de acción superrápida. Las blancas están rellenas de sedante. Cada color tiene su particularidad; los diseñan según la ocasión y los receptores.

—¿No te da miedo que el veneno se te derrame en la mano?

—No. Las aberturas de los granos de plomo tienen una cubierta que se derrite con el calor, dentro del cuerpo del recipiente. Si se salieran antes de tiempo, no representarían un peligro inmediato. Es una tecnología muy sofisticada.

—¿Y de dónde vienen esos inventos del diablo?

—De la Fábrica de Botones…

—Eso debe estar en el otro lado del mundo, ¿no?

—Más bien en todo el mundo. —Fausto hizo énfasis en las últimas tres palabras—. ¿Quién diría? Si me lo hubiesen contado hace unos meses, no lo hubiera creído.

El Boquilla calló unos segundos mientras pensaba en las palabras de Fausto. *En todo el mundo. Ni que fueran Dios. Bueno, lo cierto es que actúan como si lo fueran.* Se fijó en el socio, que guardaba con cuidado la caja en el maletín, se enderezaba en la banca y sacaba una cajetilla.

—Oye, qué bueno que no tuvimos que pelear con ese tipo, ¡porque estaba grande! —Sin esperar reacción, continuó—: Bueno, si yo tengo que pelear, peleo, tú sabes que eso es lo mío; yo sí que voy a todas —vociferó, mientras tiraba puños al aire—. Qué gente rara esa, ¿verdad? Tan jinchos y con el pelo color achiote.

—Una combinación atrayente. —Fausto contemplaba a la criatura, inexpresivo.

—Con esta paca de billetes voy a hacerle un regalo al Negrito. Caray, me da cosa verlo tristón. Y si no, está en un viaje. El cabrón coge unas notas que no las brinca un mono. A veces parece que se va a morir y hasta me asusto. Suerte que me tiene a mí que estoy pendiente de él, si no, en cualquier momento lo encontraban por ahí tirado como un perro.

Se volvió a concentrar en el cigarrillo. Miró por el retrovisor para cerciorarse de que Fausto estaba despierto y continuó con el palique.

—¿No te he contado del Negrito, verdad? La primera vez que lo vi estaba tirado en una cuneta. Bien estropeadito que estaba. Lo llevé a casa y le di un remedio, tú sabes, me gusta tener alguito por allí, por si acaso. Desde esa se queda conmigo. Sale y hace sus cosas, pero vuelve.

Fausto no quería emitir comentario alguno; en realidad no le importaba. Además, no se le hacía fácil entenderlo. Casi tenía que adivinar lo que decía, debido a que su articulación era pésima. *Con las cuerdas vocales escaldadas y la boca deforme, ¿qué se puede esperar?* El Boquilla quería seguir. No paraba de hablar, ni siquiera al conducir.

—Se fugó de la casa huyéndole al papá. En la calle empezó a meterse manteca por las venas. Estaba hecho un guiñapo cuando lo encontré; desnutrido y sucio. Ahora está más repuesto. Yo le he dicho que trate de controlarse, como yo, que solo fumo marihuana y no me envicio con sustancias, pero dice que no puede. Yo sé que es fuerte quitarse, aun así no me doy por vencido y por eso lo ayudo para que pueda salir de ese hoyo.

Pasaron por un tramo que estaba muy maltrecho y Fausto por poco se cae del banquillo.

—¡Jodidas carreteras! —gritó.

El Boquilla reía. A Fausto no le causaba ninguna gracia tener que hacer equilibrio para mantenerse sentado.

—Y con lo rápido que trabaja el Gobierno aquí, vaya usted a saber cuándo las arreglen.

—Eso será en plena campaña eleccionaria. Oportunistas que son —sentenció Fausto.

Fausto acarició la pistola que llevaba bajo la camisa, en el lado izquierdo de la cintura. Se le iluminaron los ojos. Las armas le llamaban la atención desde niño. De adulto, aprovechó el entrenamiento militar y se hizo experto en tiro al blanco, habilidad que lo enorgullecía y hacía que se sintiera superior al resto de los mortales. Con la Glock fue amor a primera vista. Hacía tiempo que deseaba una, así que cuando la recibió, no cabía en sí del regocijo. Desde entonces era su compañera inseparable. Solía llamarla "botón del pánico" pues lo sacaba de apuros en casos de necesidad.

—¡Azul, azul! —anunció el Boquilla, enderezándose en el asiento.

Una patrulla rebasó a la ambulancia y prosiguió a gran velocidad. Fausto juntó las manos e hizo un disparo imaginario en dirección de las luces que se alejaban. Continuaron un rato más en silencio, absortos en sus pensamientos, repasando la encomienda, maquinando. La oscuridad era propicia para los planes. El Boquilla bajó el cristal para que el humo se dispersara. Aún faltaba mucho para llegar.

Capítulo 7

$\mathcal{U}$ n ruido metálico lo trajo de vuelta a la realidad. Era el carrito de los medicamentos con el que la enfermera repartía las medicinas. Cuando esta cumplió la tarea, se marchó como llegó, tarareando un bolero viejo que hería los oídos de Genaro: "En la vida hay amores que nunca pueden olvidarse, imborrables momentos que siempre guarda el corazón...".

Claudia despertó al oír la voz de la enfermera. De inmediato fue donde su padre y lo abrazó. Lo ayudó a levantarse para ir al baño y en lo que esperaba revisó su celular. Otra vez se decepcionó por la falta de señal. Cuando oyó el sonido de la manija de la puerta, fue a ayudarlo a regresar a la cama.

—Papá, ¿qué te pasa? —Se preocupó al verlo palidecer de repente.

—Nada, nada. ¿Y eso? —Genaro señaló hacia la mesa de noche al lado de la cama donde durmió Claudia.

—Ah, eso. Un señor me lo dio esta mañana —contestó titubeando; no quería preocuparlo—. Dijo que era para ti.

El padre enmudeció.

—No sé quién era, no lo había visto antes. Hay cada loco por aquí. Me la entregó y se fue. Adentro tenía este botón. —Extendió la mano hacia su padre, tratando de aparentar que no le daba importancia.

—¿Y cómo era? —preguntó en un susurro.

—Era alto, blanco. Llevaba gafas oscuras, una gorra y tenía barba. Ahora que lo pienso, parecía disfrazado.

Genaro apretó el botón con rabia y se acostó en la cama con un gesto de dolor. Claudia se asustó y quiso llamar a la enfermera, pero él la detuvo.

—No es nada, hija, estoy bien, tranquila.

Encendió el televisor y buscó una película para que se distrajera. Aunque intentaba lucir despreocupado, lo cierto es que no se podía concentrar en nada. Lo atormentaba el recuerdo de la fábrica en llamas y la imagen de aquellos cuerpos irreconocibles, entre los que se encontraba su esposa. Se recriminaba. El Big Brother le advirtió, pero él no lo creyó capaz de llegar tan lejos. Repasaba los sucesos de los últimos días. Había sido cuidadoso en extremo. Tenía un plan para intentar zafarse del maldito Hermano Mayor e iba a discutirlo con su amigo. *Es imposible que el cretino lea mis pensamientos.* No hallaba explicación para lo sucedido, para la coincidencia del siniestro en el preciso momento de la reunión con el senador. Le mortificaba el asunto; por más vueltas que le daba, no llegaba a ninguna parte. *¿Qué soy frente a un ente tan poderoso? Soy David a punto de ser aplastado por la bota gigantesca de Goliat y no tengo ni siquiera una honda para intentar salvarme.* Ansiaba la libertad, mas no sabía cómo escapar de la celada. Sentía que su cerebro iba a estallar, estaba extenuado. Volvió a quedarse dormido, tenía una mano sobre la de su hija y en la otra sostenía con fuerza el botón, lleno de ira.

Capítulo 8

—*O*ye, Boquilla, tenemos otra tarea.

—Soy todo orejas.

—Hay un forastero que quiere divertirse en grande con un chiquito. —Las palabras cortaban el espacio sin emoción alguna.

—¿Ajá?

—Y lo quiere con color.

—¿Cuándo?

—Mañana.

—¡Carajo! —El Boquilla dio un respingo.

—¿Qué? —Reaccionó Fausto, frunciendo el entrecejo.

—No, nada —replicó, tratando de ocultar la molestia que le causaba la alteración de sus planes.

Consideró al hijo de Maru, la drogadicta. *Ese hace cualquier cosa por dinero.* Le daba lo mismo si la chamba era legal o ilegal. La cuestión era ganarse unos pesos para conseguirle la cura a su mami y evitar que le pasara algo malo en la calle. No quería más sustos porque ya había pasado unos cuantos. *Seguro que acepta un brete con el turista a cambio de una buena paga. Se lo diré tan pronto llegue al barrio.*

—¿Para dónde va?

—A un hotel en San Juan.

El Boquilla encendió otro cigarrillo y permaneció pensativo. Planificaba la manera de preparar al muchacho. Debía ir bien vestido, y la cura no podía faltarle. Además, tenía que asegurarse de que entendiera a cabalidad las instrucciones, no lo fuera a hacer quedar mal. *No quiero problemas con el jefe de Fausto y su ganga. Que esa gente es de cuidado. Hay que estar ojo al pillo. Para muestra, con un botón basta.*

Capítulo 9

$\mathcal{T}$res empleados departían al pie de la escalera en lo que esperaban a que terminara la actividad en el *ballroom.*

—La cosa se está poniendo peliaguda, el tranque sigue —comentó el más joven.

—Ay, mi'jo, la historia se repite. El patrono se hace el guapo, hasta que ve que la huelga es inminente. Entonces se dan cuenta de que no nos amedrentan y son ellos los que reculan al ver que vamos pa'lante —expresó el delegado.

—A mí lo que me está preocupando es que, no sé, yo veo que ahora la cosa es diferente. —El empleado de mayor edad hablaba en voz baja.

—Quieren meter miedo. —El delegado cerraba los puños y se tronaba los huesos de los dedos.

—Y la jodienda es que lo logran con algunos pendejos —repuso el joven, que subía unos escalones de cuando en cuando y echaba un vistazo al vestíbulo.

—Tenemos que mantenernos firmes y unidos. —El delegado desempeñaba con severidad su rol—. ¡Obreros unidos, jamás serán vencidos!

El mayor de ellos se acercó y dijo:

—¿Ustedes han oído lo que se rumora por ahí?

—¿Qué cosa? —contestaron al unísono los otros dos.

—Bueno, algunos comentan —decía mientras se persignaba— que este hotel está maldito. Que Barrabás anda suelto por aquí.

No podían creer lo que escuchaban. El viejo era considerado ignorante y supersticioso, por eso no lo tomaban en serio. Se burlaban de él y hasta imitaban sus gestos cuando se asustaba porque se bañaba en sudor y temblaba descontroladamente. Terminaron la charla al ver que comenzaba a desocuparse el salón. Empezaron a limpiar con rapidez porque tenían que dejar todo listo para la asamblea; trabajaban apresurados. Evaluaban los incidentes del día sin poder evitar sentirse recelosos. A ratos ganaba el entusiasmo y se les llenaba el ánimo de euforia por la ilusión con que se espera el comienzo de un año nuevo.

Capítulo 10

Ciprián se detuvo en seco. Había creído estar preparado por fin para llevar a cabo el recorrido por la fábrica, pero al ir acercándose se dio cuenta de que no. Se sintió abatido al evocar lo sucedido aquella tarde horrenda. Todavía la brisa esparcía olores a humo y cosas chamuscadas. Los recuerdos eran como una corona de espinas que le punzaban la cabeza. Estaba seguro de que nunca podría superar la frustración de no haber podido salvar a los que quedaron atrapados, ni el fracaso de la lucha frente al monstruo de llamas que arrasó con todo.

¿Cómo sobreponerse a la espantosa realidad? Se negaba a aceptar lo que veía. ¡Cuánta desolación! Frente al edificio sombrío, quiso recrear en su mente las imágenes de los espacios amados antes de la hecatombe. Lo primero que admiraba al llegar cada mañana era el magnífico cuadro del flamboyán florecido en la pared central del vestíbulo. ¡Le fascinaba! Aunque lo veía a diario, no se cansaba de contemplar aquel árbol majestuoso. Los vitrales llenos de luz creaban la ilusión de que la copa llena de flores ardía. Se le humedecieron los ojos. Prosiguió con el inventario de recuerdos: el escritorio de la recepcionista que recibía las visitas con una sonrisa afectuosa; la fuente de agua a la derecha, en la que llenaba su botella y, de paso, charlaba unos minutos con ella; las oficinas y el comedor donde compartían a la hora del almuerzo, a la izquierda; el salón de conferencias y el archivo a la derecha; y los servicios sanitarios al fondo del pasillo. Al final, la puerta que conectaba con el almacén. *¡Cómo se esmeraban los empleados de limpieza en mantener los pisos inmaculados! Quedaron tan estropeados... Los muebles antiguos del jefe, tan valiosos, dañados sin remedio.* Algunos sufrieron quemaduras graves. Él mismo, por querer ayudar a que los empleados salieran, terminó con laceraciones de cuidado. Lamentaba no haber podido subir al taller de costura en el segundo nivel, pues al poner un pie en la escalera, una explosión lo expulsó con furia.

El cubículo de la supervisora, tan competente como servicial, estaba cerca de las escaleras. La mesa de corte estaba en el centro del salón. Allí las diestras costureras comentaban las telenovelas mientras reproducían en las telas los patrones de los uniformes. Las máquinas de coser a la izquierda inundaban el piso con su incesante ruido. Las de pegar botones se ubicaban a la derecha, y al lado, las áreas de inspección y empaque. Al fondo del pasillo estaba el comedor y los servicios sanitarios, donde hallaron cinco personas muertas, incluida doña Mariana. Hubo muchas explosiones, una tras otra. A Ciprián le acongojaba imaginar a aquellos seres tratando de escapar de la quema. No tuvieron ninguna oportunidad. *Las telas ardiendo, ¡una trampa mortal!* Los que lograron salvarse dijeron que la señora había ido a preparar la comida tradicional. *Ella siempre atenta a los detalles; su amor por los demás la llevó a su fin.* Recordó, con pesar, que la cerradura de la salida de emergencia se atascaba por momentos y se dificultaba abrirla. Estaban en vías de cambiarla.

Aún le costaba creer que fuera cierto lo que veía: su taller de trabajo por las últimas dos décadas reducido a una pila de objetos consumidos en la cámara de incineración en que quedó convertida la fábrica. Se alejó cabizbajo, con los hombros caídos. Le resultaba insufrible seguir allí. Para él era apabullante sentirse derrotado por un enemigo formidable, imposible de combatir, aunque quisiera, porque ni siquiera podía verlo. Sabía que la lucha era ineludible, pero desconocía contra qué o quién. De lejos, divisó aquel casco asolado. Los huecos vacíos en las paredes le parecieron enormes cuencas llenas de oscuridad que miraban desde un abismo. Por primera vez en mucho tiempo sintió miedo.

Las ventanas… Aquella tarde escuchó un ruido leve a sus espaldas y, en el espejo que tenía de frente, vio una figura que corría. Giró en su silla, algo sorprendido por lo que le pareció un espectro. Soltó el contrato que estaba examinando y se volteó hacia los cristales cerrados. No vio nada. Salió y revisó el área. No divisó a nadie por allí. Concluyó que pudo haber sido una alucinación pues días antes estuvo muy enfermo y quizá las fiebres lo debilitaron más de lo que quería admitir. A la llamada de Antonio volvió a su oficina. A los pocos minutos se escuchó una explosión, seguida de otras más, y lo demás fue el Hades.

Capítulo 11

—Debiste matarme a mí.

—Te necesito vivo.

—Mi esposa no estaba involucrada en esto.

—No se suponía que estuviera allí.

—¡Maldito!

—¡Cuidado! Tu hija podría escucharte.

—¡No te atrevas a acercarte a ella!

—No lo haré, si tú no vuelves a intentar pasarte de listo.

—No sé de qué hablas. Yo lo que quiero es acabar con esto.

—Parece que olvidas que aquí quien da las órdenes soy yo.

—Cab…

—Solo sigue las órdenes. Son claras. ¿O hay algo que no entiendas?

—No sé si pueda llegar a él.

—Podrás, lo has hecho otras veces.

—Ahora es distinto. Tiene un séquito de alcahuetes a su alrededor.

—No admito excusas. Siempre has sabido ocuparte de todo. Esta vez no ha de ser la excepción. El tiempo apremia.

—Si te tuviera de frente…

—Ten cuidado con lo que deseas. El día que me tengas frente a ti, yo seré lo último que vean tus ojos. Mejor que entiendas. Si me fallas, Genaro, haré botones con tus huesos.

54

Genaro apagó el celular con rabia. Lo hubiera lanzado contra la pared, si con ello pudiera librarse del Big Brother. Se contuvo; sabía que era inútil intentar salir airoso de la encerrona. *Nadie sobrevive a la Fábrica de Botones.*

Capítulo 12

Se desviaron de la carretera y se adentraron por un ramal estrecho. Veinte minutos parecieron eternos, debido a la oscuridad en el trayecto. Un farol encendido en la casucha indicaba la ubicación del domicilio. Se detuvieron y esperaron. Advirtieron una silueta en el balcón. La luz se apagó y encendió nuevamente. Era la segunda señal. Una figura cubierta con una manta bajó la escalera despacio, abrió el portón de la entrada, se agarró de los pasamanos para subir y se sentó en un banco. Tercera señal. La ambulancia entró a la propiedad y se detuvo en la parte de atrás. Con movimientos rápidos, el Boquilla se apeó y ayudó a Fausto a bajar a la niña. Este la llevó en brazos, cubierta con una frazada blanca, y entró a la casa. La colocó en la cama del primer cuarto que vio y se largó apresurado.

Cuando la ambulancia se alejó, la mujer cerró el portón, apagó el farol del balcón y cerró la puerta tras sí. En la cocina, abrió la nevera para procurarse luz. Sobre la mesa vio un frasco pequeño con un líquido que debía añadir al agua de la niña según indicado. Lo puso en el bolsillo de su bata. Agarró el sobre abultado y sacó el contenido. Mientras contaba el dinero, la avaricia iba transformando su cara y marcaba un gesto que no alcanzaba a ensanchar del todo la boca mellada. Escondió su paga en un envase de cerámica, al fondo de la gaveta más baja de la alacena.

Luego fue al cuarto y, con el semblante hosco, se paró unos segundos a los pies de la cama, antes de sentarse en la silla mecedora. Se quitó la manta, la dobló con brusquedad, se la acomodó entre la joroba y la nuca y apoyó la cabeza en el espaldar. Entrelazó las manos arrugadas sobre la falda y cerró los ojos.

Se hacía dificultoso avanzar por el angosto tramo que estaba tan oscuro y, para colmo, en pésimas condiciones; por lo mismo, el Boquilla no podía acelerar como hubiese hecho en otras circunstancias. Apenas había visibilidad unos pies por delante. Decidió que era mejor ir con precaución. A su paso, los árboles devolvían imágenes imprecisas cuando la luz de la ambulancia los enfocaba. *Esta jodida noche no acaba de terminar. Ya está pareciendo una película de terror. No me sorprendería que apareciera un vampiro o el hombre lobo, o ambos, y nos jodieran aquí mismo.*

Fausto palpó la pistola en su cintura y estiró las piernas. Miró hacia atrás, pero no pudo divisar nada. *¿Cómo es posible que alguien en su sano juicio viva en un lugar tan recóndito?* Giró hacia el frente. Solo vio sombras que se movían amenazantes, como queriendo saltar sobre ellos. Agitó la cabeza en un intento por sacudirse la sensación de mareo. Abrió la ventana, y el olor a tierra mojada y vegetación podrida le dio náuseas. Cerró el cristal y prendió un cigarrillo. Se sentía exasperado. *¡No veo la hora en que se acabe esta maldita noche!*

Capítulo 13

Claudia se metió a la ducha. Quería espantarse de encima las vibraciones negativas que le perturbaban desde el incendio de la fábrica. Dejó que el agua le empapara el cabello y, al bajarle por la cara, unos ojos se le revelaron: verdes, hermosos. Era Antonio, el ayudante de su padre; alto y fornido, para ella el más guapo de todos los hombres. Tenía algo indefinible que la sacaba de su zona de comodidad y la alborotaba. Mientras se enjabonaba los senos firmes, imaginaba aquellas manos grandes sobre ellos. Se acariciaba el cuello con el deseo vivo de sentir su aliento cosquilleándole justo allí. De su cuerpo inexperto se desbordaban las ansias, así como resbalaba por sus contornos la espuma del suave jabón de Castilla.

Antonio fue el primero que despertó en ella apetitos tan carnales. Con solo mirarla, parecía que atravesaba la frontera de su ropa y llegaba a los lugares más íntimos. Los deseos que esto le provocaba eran de tal intensidad que la desestabilizaban. No sabía cómo manejar la situación. Por eso evitaba estar a solas con él, temía no poder rechazarlo si se acercaba demasiado; si traspasara el umbral de su blusa, si aquellos labios besaran más que su boca y le hicieran transgredir sus principios... Cada vez le resultaba más difícil rehuirle; lo deseaba con una urgencia que le costaba ocultar. Hasta ese momento solo le había permitido algunos besos. El respeto a sus padres le impedía abandonarse al placer. No quería traicionar la confianza que tenían en ella, ellos no lo merecían. Levantó el rostro hacia la ducha y deseó estar bajo la lluvia con él, dejándose llevar por el deseo, generando una energía imposible de controlar. *Se siente rico cuando nos besamos... Él se pone ceñudo y se le endurece abajo... Me encanta... Ay, pero me asusto porque se va transformando. Quisiera tocarlo, sentirlo, sé que no debo. Ah, ¿cómo será...? Cuánto quisiera...* Palpó su entrepierna. Sus dedos buscaron la viscosidad generosa de su sexo y comenzaron a moverse en círculos. La excitación fue en aumento. Todo pareció detenerse en aquel instante de supremo deleite. Lo explosivo del orgasmo la sacudió. Tuvo que hacer un esfuerzo para salir del estado de éxtasis que la dejó jadeante. Avergonzada, cerró la llave del agua caliente y dejó que el agua fría la refrescara; un remedio que no funcionaba para apartar los pensamientos calenturientos.

Capítulo 14

Genaro sacó las pinzas de la gaveta. Le molestaba la manga del suero y al hacer fuerza le dolió la mano, pero su rabia era tal que no le importó. Desmontó el botón forrado y leyó el mensaje escrito con tinta blanca en el pedazo de tela negra: "Te estoy observando. Big Brother".

El canalla se divierte torturándome. Si hubiera ponderado los alcances de mi decisión, jamás hubiese aceptado aquel ofrecimiento. ¿Cómo olvidar aquel día nefasto? Yo, Genaro Sanfiorenzo, hombre de reputación intachable, que me enorgullecía de ser incorruptible, cedí ante la posibilidad de amasar una gran fortuna en poco tiempo. ¿Por qué diablos me dejé convencer por el senador de distrito? No sabía que era un emisario de Big Brother y que desde ese momento mi vida dejaría de ser mía para pertenecerle a la Fábrica de Botones.

Levantó el trozo de tela y lo confrontó a la luz de la lámpara. Allí estaba el emblema, y un tenue olor a telas ahumadas acompañaba la estampa salida del mismo infierno.

Capítulo 15

—¡*Qué* noche larga esta, carajo! ¡Y tanta oscuridad!

—¿Qué, tienes miedo?

—¿Quién?, ¿yo? Se te olvida que estás hablando con el Boquilla. A mí hasta la pelona me tiene repelillo.

—Disculpe usted, amigo Tyson —reaccionó Fausto con sarcasmo.

El Boquilla rio con ganas.

—Oye, ¿cómo es que le llaman a los amigos esos del gobernador? ¿Los que vienen de España?

—Inversionistas.

—Pues el gobe debería darles un contratito a los inversionistas españoles para que pongan luces en los postes. ¿Tú no crees? Es más, deberían contratarte a ti. ¿Qué tú crees? —prosiguió, afectando la voz—: ¡Fausto alumbra a Puerto Rico! Sería un buen nombre para tu compañía. —Por el rabo del ojo notaba cómo se le alzaba la comisura izquierda de los labios.

Fumaron otro rato en silencio. El humo dibujaba piruetas en torno a los hombres que iban abstraídos. Fausto sacó el celular de la gaveta y miró la pantalla. No tenía señal. Por aquellos montes el aparato se tornaba inservible.

—Oye, ahora sí que nos jodimos con los delincuentes que se dedican a robar celulares. Cada vez están más aguzados. No te recomiendo usarlo en el automóvil porque te siguen para robártelo. Se lo han hecho a varios ejecutivos —advirtió Fausto.

—Y como son carísimos, la cosa va a seguir. Siempre hay gente por ahí velando la güira, tú sabes, vigilando lo que otro tiene para tumbárselo. Todos quieren lo que no pueden tener —concluyó el Boquilla con aires de solemnidad.

A Fausto le sorprendió el comentario, más bien la entonación, que no era chacota, sino que le sonó sentencioso. Se volteó hacia él y lo vio ensimismado y mirando hacia adelante, serio.

—En nuestro caso, no nos podemos dar el lujo de perderlo, ¿eh? Que a la hora que sea que el jefe me llame, tengo que estar listo. Y cuando yo te necesite te quiero conseguir sin problemas, por eso te presté uno.

—De eso ni te preocupes.

—En tu perra vida habías tenido algo así, ¿ah? —Fausto levantó el celular—. Poca gente tiene un celular como este: elegante y liviano. En verdad que Walker le comió los dulces a Motorola con este modelo.

El Boquilla asintió. Esa misión le dio acceso a uno por primera vez y, después de usarlo en ese recorrido, tenía que admitir que era fácil encariñarse con él. Lo iba a echar de menos cuando no lo tuviera y aunque con el pago que iba a recibir podría pagar los tres mil dólares que costaba, dudaba que fuera a hacerlo. *¿Para qué? ¿Con quién voy a hablar? El Killer Joe tiene uno, pero a él lo tengo cerca.*

—El misionero que irá al hotel mañana tiene que estar listo temprano —advirtió Fausto con apremio.

—Ok.

—Terminamos y nos vamos a celebrar.

—Yo pienso despedir el año jugando Pacman. Ese juego me trae loco, obsesionado. Yo sigo intentando, pero la puñetera máquina siempre me gana. El Negrito, en cambio, es muy diestro con los otros. Si lo vieras manejando cuatro botones al mismo tiempo en el control ese. Yo no puedo, no los entiendo, la chola no me da para esas maniobras. A mí que me dejen con el viejito, que por lo menos sé manejar la palanca —comentó, soltando la risotada.

—Oye, y hablando de palanca... ¿te fijaste en la doña? Tenía aspecto de que hace tiempo ni fu ni fa.

—No, chico. Con aquella oscuridad...

—Yo creo que tú podrías hacerle el favor. —Fausto escudriñó con malicia el rostro del Boquilla.

—Mírame bien, Fausto. —El tono de seriedad tomó por sorpresa al socio—. Mira esta cara y los brazos. Así mismo tengo todo lo demás. Y hay cosas que se derritieron casi por completo con el fuego. —Aspiró el cigarrillo y las últimas palabras salieron disparadas con la fumarada—: Yo no tengo nada que ofrecerle a una mujer.

Esto último lo expresó con amargura. Fausto se sintió apenado. Su intención había sido embromarlo, mas tuvo que reconocer, tras escucharlo, lo desatinado del chiste. Por primera vez reparó en serio en aquel cuerpo lleno de cicatrices y sintió lástima por él. Pudo reconocer que detrás de la facha de guapo de barrio se escondía un muchacho muy lastimado, tan herido en el interior como en el exterior.

—Oye, lo siento, Boquilla, mi intención no era...

—Está bien —lo interrumpió—. No importa. —Y continuó con su parloteo.

Fausto trató de pensar en otras cosas. No solía interactuar tanto con sus compinches. Hacían lo convenido y conversaban lo mínimo. Con el Boquilla llevaba una larga jornada. Primero fue buscar la oportunidad de secuestrar a los turistas que viajaban con su hija; después los tropezones accidentales con los botones rellenos de veneno y, por último, el viaje para deshacerse de los cuerpos. Nunca una misión había sido así de complicada y extensa. La situación empeoraba con un compañero tan parlanchín. Generalmente el trabajo se llevaba a cabo de forma impersonal y no surgía la ocasión de andarse contando intimidades y menos de entablar una amistad. En esa operación, lo primordial era asegurarse de que todo fluyera con exactitud para evitar complicaciones. Lo que le mortificaba era lo difícil que se le hacía mantener la distancia con un tipo que no paraba de hablar. Ya casi lo conocía como si fuera de la familia. Por más que tratara de ignorarlo, no podía dejar de escuchar, o más bien de figurarse lo que decía. Él callaba, pero el socio seguía con su cháchara. Así se enteró de que siendo niño se escondía en el establo para fumar. Que un día un fósforo que creyó apagado inició un fogonazo. Que no pudo escapar pues su abuelo lo había dejado encerrado. Que se volvió loco cuando, ocho meses más tarde, en el hospital, se miró en un espejo y tuvieron que internarlo en la unidad de pacientes con desajustes mentales. Que el viejo se salvó de morir a manos de él, como juró hacerlo, porque se suicidó antes. Que cuando se fugó del hogar sustituto donde el Gobierno lo colocó, le faltaba un sinfín de cirugías y terapias. Que no volvió a pisar un hospital y sustituyó al psiquiatra por el punto de drogas. Que a sus veinte años aún le daba rabia cada vez que pasaba frente a un espejo y se topaba con su imagen. Y que cuando se le desgració la vida solo tenía doce.

Capítulo 16

$\mathcal{D}$os gerentes del casino salieron a fumar a la entrada del hotel.

—Yo no sé. Las cosas están empeorando aquí, no me gusta nada la tensión que se siente.

—A mí tampoco. Lo que he escuchado es que no han podido llegar a un acuerdo y que ya contrataron una compañía de rompehuelgas.

—Esto se pone color de hormiga brava. Por suerte la cosa no es con nosotros.

—Bueno, de momento estamos fuera del lío —comentó uno de ellos, aunque poco convencido.

—Mañana es la asamblea del sindicato. Dicen que aprobarán el voto de huelga.

—Ojalá se resolvieran las cosas hoy. ¿Quién quiere semejante revolú en la víspera de Año Nuevo?

—Y el caso es que si ellos se van a huelga no nos van a dejar entrar.

—Y yo no pienso cruzar la línea de piquete, por más rompehuelgas que pongan. Lo siento por el jefe. Yo no me voy a indisponer con los huelguistas.

—Ni yo. Es más, llamo y digo que amanecí enfermo. Que me descuenten el día.

—¿Y si se extiende la huelga?

—Bueno, llegamos hasta aquí, pero no vamos a forzar nada. El patrono no pretenderá que nos arriesguemos. Ellos saben que los ánimos se caldean y cualquier cosa puede pasar.

—¿Y cuánto tú crees que le importamos al patrono? Con sustituirnos tiene y sigue operando como si nada.

—No es fácil, no. Aun así, tenemos que ser solidarios. En cualquier momento nos puede tocar a nosotros y vamos a necesitarlos. Como dice el refrán: "Hoy por ti y mañana por mí".

—En eso tienes razón.

Agotaban lo último de los cigarrillos cuando vieron a dos hombres que entraban al vestíbulo. Tenían apariencia de ejecutivos por la vestimenta formal: gabán y corbata; y cargaban maletines.

—Tienen facha de federales. ¿Qué se traerán entre manos?

—Los vi ayer. Uno de ellos se sentó en la mesa de *blackjack* y el otro dio unas vueltas hasta que se ubicó en la de póquer.

—No me di cuenta. Ayer hice mi turno en el área de las ruletas. Los clientes estaban entusiasmados tratando de pescar la suerte.

—¿A quién no le gustaría terminar el año con un dinerito extra?

En el momento en que se disponían a entrar escucharon un impacto seguido por un chillido de gomas. El grito de una joven los alertó. Fueron corriendo hasta la acera y vieron que habían atropellado a una mujer. Estaba boca abajo y a su alrededor se iba formando un charco de sangre que se esparcía suavemente sobre la tosca superficie de la acera. Los guardias de seguridad acudieron e hicieron un cerco para mantener a distancia a los curiosos que se iban arremolinando. Un gerente del hotel entró al círculo para revisar si la occisa tenía alguna identificación. Se incorporó desencajado, y comentó que era una empleada de la cocina.

Capítulo 17

$\mathcal{U}$na patrulla los rebasó.

—Esos cabrones no llevan el biombo prendido.

—Hay que andarse listo.

—Con las ganas que tengo de tumbarme a uno de esos.

—¿Y a cuántos te has tumbado tú, Boquilla?

—Fíjate que a ninguno. Cargo con la cuarenta y cinco por si acaso, por si alguien viene a joder. He amedrentado a unos cuantos, pero hasta ahí. Tú sí que debes tener historia. Y ahora más con los botones premiados.

Ambos rieron. Con su pistola y los botones, Fausto se creía invencible. No habría nada que no pudiera lograr con esa combinación de ingenio y el equipo apropiado. Le gustaba fantasear. Se veía a sí mismo como un rey, rodeado de súbditos, huestes enteras a sus pies, y él mirándolos con desprecio desde su trono elevado. Fumó con deleite. Su coeficiente intelectual era superior al promedio, por eso completó el bachillerato en la mitad del tiempo requerido y se graduó con honores. Sus padres, orgullosos de su hijo a más no poder, le decían que el conocimiento era la llave para el éxito. A pesar de que él reconocía que los estudios universitarios eran convenientes, no era categórico al respecto. Ellos ignoraban aspectos significativos de la vida. *Hay puertas que se abren por las buenas, otras hay que tirarlas por la fuerza, y siempre hay que usar la astucia. ¡Qué bueno que aproveché el entrenamiento militar! Es el mejor complemento para manejar los negocios.* Un gesto de arrogancia le tensó las mandíbulas. A sus treinta y cinco años era experto en numerosos menesteres que se apartaban por mucho de la intelectualidad.

Le producía una gran satisfacción pensar en su primera misión. *Una gran hazaña. El tipo se puso guapo y tuve que pegarle un tiro.* En realidad, pudo haberlo dejado vivo, estaba consciente de eso, pero tenía unos deseos incontenibles de probar la pistola que le entregó el jefe, y la usó. Hubiera deseado vaciar todas las balas en el cuerpo de aquel desgraciado, pero debía contener sus impulsos debido a que la reserva de municiones era limitada. No se cansaba de admirar la Glock 17 P-80. Era un arma poderosa, la envidia de todos. *La policía no tiene de estas, ni los cojones para usarlas.* Se agarraba la entrepierna y en la faz se le dibujaba una mueca feroz. El primer muerto fue una novedad y los demás se convirtieron en gajes del oficio. Matar era más fácil de lo que había imaginado.

Llegaron a un taller de autos. Estacionaron al fondo, detrás de los camiones, y se dirigieron a la oficina. El encargado les dio dos sobres. Verificaron el contenido y se despidieron. El Boquilla se puso la gorra y cojeó hasta su viejo Corolla negro. Fausto caminó resuelto hasta su reluciente Camaro convertible rojo. Adentro, se miró en el espejo retrovisor, se acomodó el cabello con las manos, estrenó las recién adquiridas gafas Ray Ban Aviator y ensayó un gesto pícaro, al estilo del protagonista de *Top Gun*.

Los primeros rayos del sol asomaban mientras cada uno tomaba un rumbo distinto.

Capítulo 18

*C*iprián se encargó de los preparativos para las honras fúnebres de doña Mariana, que consistirían en una misa oficiada por el padre Joaquín, en la parroquia del pueblo, y el entierro sería esa misma tarde, según dispuso el patrón. Todo debía estar listo cuando regresaran don Genaro y su hija. Los arreglos que adornarían la iglesia los prepararía Leonora con las rosas rojas y los jazmines del jardín principal. A poco más de una semana de la catástrofe, florecieron. Eran brotes de esperanza, empeñados en su apuesta por la vida; el homenaje póstumo de la naturaleza para su querida señora. Cultivar la tierra era un asunto prioritario. Decía que las plantas y ella se entendían, y la exuberancia de sus viveros lo evidenciaba. Acostumbraba a recoger los renuevos coloridos y les añadía follaje y lazos con los tonos de temporada. Así adornaba las mesas y los enormes jarrones de barro que flanqueaban las entradas de la casa y la fábrica. En las cuatro estaciones del año, bullía la belleza gracias a los cuidados de aquellas manos buenas. Todos la recordaban con inmenso amor. No sería fácil acostumbrarse a su ausencia.

Veinte años junto a su esposa; se notaba lo inmenso de su amor, aunque no hicieran alarde de ello. La forma que tenían de mirarse, de hablarse, de tomarse las manos, el modo suave de tratarse los delataba. ¡Lo lamento tanto por el patrón! Y la hija… ¿Cómo será su vida de ahora en adelante? Ellas se pasaban juntas. Don Genaro tendrá que estar atento. La jovencita es preciosa y empieza a despertar el interés de los hombres por aquí.

No podía evitar emocionarse al pensar en la querida familia Sanfiorenzo. Andaba sensiblero desde el incendio. Un chillido de gomas lo asustó y subió a la acera de un brinco. Estuvo a punto de ser arrollado. *¡Jesús, María y José! Quienquiera que sea, va como alma que lleva el diablo. ¡Cuánta irresponsabilidad!*

Capítulo 19

—*O*peración terminada, jefe.

—¿Alguna novedad?

—Ninguna.

—¿Moros en la costa?

—Negativo.

—¿Te aseguraste?

—Así es, jefe.

—¿Y la entrega de mañana?

—Lista, según previsto.

—Una cosa más.

—Mande.

—Hay rumores de reyerta. Has de estar preparado para cualquier contingencia.

—Estoy listo.

—¿Alguna duda?

—Ninguna.

—Bien.

Fausto apagó el celular y pensó en el jefe, con lástima. Su tenacidad admirable lo impresionó desde el principio. Trabajaba con ahínco, su deseo era lograr que la Fábrica de Uniformes Sanfiorenzo fuera reconocida como la mejor de la Isla. Su denuedo se hacía notable, particularmente en los contratos con el ejército. Las órdenes de compra se multiplicaban, lo que acrecentaba el prestigio de la compañía. *Nada es eterno, jefe. Ahora eres una caricatura de lo que fuiste. Piensas que mandas. No te enteras aún de que te han dejado fuera y los planes seguirán adelante sin ti. Tienes la impresión de que sigues a cargo cuando en realidad ya no cuentas ni para* pool *ni para banca. Nada que hacer; en este negocio no hay espacio para sentimentalismos. Todo tiene que fluir sin contratiempos, así funciona la Fábrica de Botones.*

Capítulo 20

Mabel entró gritando a la cocina.

—¿Qué pasa, Mabel? —Carola la asió por los brazos.

—Adela… Adela… —Se le dificultaba articular las palabras.

—¿Qué pasa con Adela?

—¡La atropellaron, la atropellaron!

—¿Qué? ¡No puede ser! ¡Si ella estaba aquí hace unos minutos!

—Se excusó. Dijo que se sentía mal. ¡Y la atropellaron! —Rompió a llorar desconsolada.

—¿Cómo? ¿Dónde?

—Aquí al frente.

—¿Quién te dijo? A lo mejor se equivocaron.

—No, era ella. Yo la vi.

—¿Estás segura, Mabel?

—Segura. Salí a fumar y vi cuando el camión se trepó a la acera y la atropelló.

Otros empleados se arremolinaron alrededor de ellas y preguntaban, desconcertados. Carola abrazó a su compañera. Se negaba a creer lo que acababa de escuchar, pero poco después llegó el gerente y confirmó el suceso.

Más tarde, terminado el turno y aún conmocionada, algo más inquietaba a Carola. *¡Qué raro! Después de que la noticia se regó, Mabel continuó sus tareas como si nada. Lucía tranquila, hasta me pareció percibir un aire ausente en ella. Se quedó en la cocina hasta que terminó la jornada. Lo más lógico hubiera sido ir a prestar su declaración. Será que los nervios la paralizaron...*

76

Adela... ¿Por qué iba a cruzar la calle? Su carro estaba en el estacionamiento del hotel. ¿Por qué se fue temprano? No mencionó nada que pareciera perturbarle.

Mabel... Aquí hay algo que no encaja. Esto parece un rompecabezas incompleto. Estoy confundida. Es que sus ademanes... exagerados. Su llanto... me pareció forzado, teatral. Tanto aspaviento y luego quedó como muda. Rarísimo en ella. Dijo que estuvo fumando, pero... ¿desde cuándo fuma? Cuando la abracé no olía a cigarrillo.

Capítulo 21

Su estómago comenzó a rugir. El hambre siempre le avisaba de repente y de forma ruidosa. Se detuvo en el primer cafetín que divisó. En lo que esperaba que le prepararan el desayuno se puso a observar a su alrededor. *La gente está solitaria esta mañana.* La mayoría de las mesas estaban ocupadas por una sola persona. En una de ellas, una pareja intentaba aquietar a sus hijos que alborotaban más de lo que comían. Se sentó lejos de ellos. Recelaba del modo en que los niños solían mirarlo pues, contrario a los adultos, que con frecuencia rehuían el contacto visual para no revelar sus sentimientos, los pequeños decían mucho sin necesidad de abrir la boca. Eso le causaba cierta aprensión, por eso los evitaba. Esa mañana, sin embargo, se sentía atraído por aquella familia. Lucían a gusto y cuando se levantaron para irse sus ojos se cruzaron con los de la nena, que, abochornada, dio media vuelta y se pegó de sus dos hermanos. Se marcharon con una gran algazara. Antes de entrar a la guagua, la pequeña se volteó hacia donde estaba el Boquilla e hizo un ademán en señal de despedida. Desde adentro él no podía descifrar con claridad su expresión. Supuso que sonreía con timidez y hasta con lástima. Los chiquillos sabían compadecerse de los demás, eso lo comprendía muy bien.

Completó el desayuno de huevos revueltos y café con un cigarrillo y volvió al carro. El sol se dejaba sentir con intensidad. Decidió dar una vuelta por San Juan. Tenía una emoción rara que le rondaba el cuerpo y quería deshacerse de ella.

El mar lo ayudaba a relajarse. Se detuvo al pie de la Lomita de los Vientos. Subió con pesadez y, una vez arriba, respiró con fuerza. El mar le pareció más bello que nunca. Intentó poner su mente en blanco y deleitarse con el paisaje que tenía delante. Era una tarea dificultosa. El recuerdo de la mirada llena de terror de la niña pelirroja lo asediaba. Por el espejo retrovisor del taxi pudo verla cuando despertó y vio a sus padres dormidos. Debió haber intuido que algo andaba mal, porque sus ojos reflejaron miedo. *Era algo más…* No encontraba la palabra para definir un sentimiento que se le antojaba oscuro. Se quitó la gorra y pasó la mano por la coronilla con movimientos que constataban su contrariedad. Trató de reflexionar sobre otros asuntos, pero no se le ocurría nada que lo pudiera distraer de su realidad inmediata. Bajó con lentitud, se sentía pesado en extremo aquella mañana.

Ahora sí llevo a Joselito al centro de rehabilitación. Que lo ayuden con su problema de drogas y ojalá no tenga esa enfermedad nueva que anda por ahí. ¿Cómo es que se llama? Ah, sí, sida. Pobre Negrito. Ojalá se deje ayudar. En verdad que está mal, parece un viejito. A ese paso que va yo no sé… Qué lindo está el mar hoy. Cómo gozaría en el agua. Y quién diría… Es la única persona que no se asusta al mirarme, que me toca sin hacer una mueca de asco y hasta come de mi plato. ¡Pobre muchachito! Y tiene la misma edad que yo tenía… Ah, carajo, por estar pensando en musarañas se me pasó la salida. Y tengo que ir donde el Checa.

Lo primero era ir al punto. En la escalinata de la iglesia, a la entrada del barrio, estaba sentado Orejita. Efectuaron el saludo, que incluía choque de manos e intercambio de gorras. Sonriente, el crío se fue dando saltos cortos como si jugara a la peregrina y se adentró en un callejón, cuyo muro delimitaba los predios de la cancha de pelota y servía de lienzo a los pintores frustrados del área. El grafiti, que llevaba seis meses en exhibición, era una especie de Guernica boricua en tonos de gris, donde vacas, toros, perros, gatos, ángeles y demonios se confundían, atropellados, en un universo lleno de miseria. Una cotorra a la izquierda observaba la escena. Los visitantes que pasaban por allí se detenían, fascinados, y hasta se tomaban fotos en el mural. Para el Boquilla, la pintura era la representación de la bajeza. *Una isla dejada de la mano de Dios.*

El niño regresó y miró en ambas direcciones, previo al segundo intercambio de gorras. Cumplido el mandado, volvió a sentarse al pie de la escalera, con una sonrisa grande al rebuscar en la bolsa llena de golosinas que le acababa de regalar el cliente. Le quitó la envoltura a una paleta roja redonda y se la llevó a la boca, babeando al saborear el rico dulce en cuyo interior esperaba una deliciosa bola de goma de mascar.

Dentro del carro, el Boquilla buscó en el compartimiento de la gorra y examinó los pitillos. Los llevó a su nariz y comprobó con agrado que eran buenos. Se había vuelto un experto en reconocer la calidad de la yerba por la peculiaridad del olor que emanaba. Ya lo conocían, así que no trataban de engañarlo con productos de baja estofa.

En ruta a su casa, la imagen del singular corredor lo acompañó un buen rato. Todo era mínimo en aquel cráneo reducido, excepto los ojos, que eran grandes y más separados de lo normal. Pasaba el día en la calle principal. Se distraía con los lagartijos, a los que perseguía sin tregua. Alcanzaba uno y lo apretaba hasta que explotaba. Entonces reía divertido, aplaudía y salía a cazar el próximo. Cuando se cansaba, se sentaba, boquiabierto, las babas resbalando por su barbilla hasta la camiseta, con los párpados entrecerrados. Era inevitable sentir lástima por el pobre niño. Su padre, el Checa, lo tenía bien entrenado, con pocos comandos bregaba en forma satisfactoria. *Pobrecito... Aunque tal vez no tanto...*

Capítulo 22

*F*austo bostezó. Pese al cansancio y el hambre que tenía, un cosquilleo en el cuerpo lo reanimaba. Se le antojó un momento de lujuria y decidió consentirse. Llamó a Reina, la Madama. Ella lo conocía bien y diligenciaba presta el pedido de dos Lolitas y una bolsa de coca. El polvo blanco nunca faltaba en sus fiestas. Las jóvenes se transformaban, se ponían salvajes y eso lo estimulaba. Estaba ansioso por llegar. Llamó a un restaurante con servicio de entregas y encargó comida. No quería detenerse.

Se puso a considerar la situación del jefe. Pronto dejaría de estar al mando y si él era el escogido, aceptaría con gusto. Quería conocer la organización y alcanzar un rango alto en ella. Hasta hacía poco había sido un empleado más, pero su rol iba cambiando con las nuevas encomiendas de Big Brother. Los acercamientos directos confirmaban que confiaba en él y por eso le asignaba misiones de envergadura. Comenzó a soñar con las riquezas que podría obtener en un futuro cercano. La media sonrisa se acentuaba a medida que visualizaba la vida que deseaba. La ambición lo cegaba; no consentía negaciones.

Una mujer de avanzada edad que cruzaba la calle le trajo a la memoria la reacción del Boquilla cuando le mencionó a la vieja. *Pobre diablo, ¿se habrá metido a maricón después de que se quemó?* Continuó con la evaluación del socio. Por más que intentaba, no podía concederle más méritos que el de ser buen chofer e intermediario. Era bueno, pero no lo suficiente. No, a él no podía encomendarle tareas significativas. Le había notado algo que no le gustó; le resultaba difícil ocultarlo: se compadecía. *En este oficio no está permitido sentir compasión por nada ni por nadie. El tipo lo tendrá que aprender a la buena o a la mala.* Eso sí, tenía que admitir que era bueno al volante, y como muchacho de mandados, muy diestro. Tenía un catálogo de contactos provechosos para el negocio, y sabía seguir instrucciones. Lo mejor era que no dejaba rastros que condujeran hacia él. *Qué desagradable posta ambulante de carne quemada, aunque es bueno para hacer el trabajo sucio, y es discreto. Más le vale que lo sea.*

Sintió una ola de calor, a pesar del aire acondicionado. Sus dedos palparon el primer botón de la camisa. Desabotonó con calma. *Botones… una sencillez como esta… Jamás volveré a verlos con los mismos ojos.*

Capítulo 23

$\mathcal{L}$eonora se sentía recelosa. Estaba acostumbrada a escuchar los quejidos de doña Margó, pero esta estuvo silenciosa todo el día, así que tenía un mal presentimiento. A cada rato hacía una pausa en el tejido y se detenía a observarle el movimiento leve del pecho. Se veía tranquila. No quiso despertarla temprano. Bajó a la cocina a desayunar y se puso a charlar con la cocinera. Ambas presentían la proximidad del fin y se lamentaban porque no podían hacer nada para evitar que la vida se le siguiera apagando a la viejita. Con pesadez, el ama de llaves se dirigió a su habitación. Se aseó y cambió de ropa. A media mañana volvió al cuarto de su patrona; el doctor estaba por llegar. Al pie de la cama, le bastó una ojeada para comprender que había ocurrido lo inminente. Se cubrió la boca para ahogar el grito. Tenía la creencia de que en momentos así se debía mantener la compostura como una última cortesía a los muertos queridos. Se persignó y, cabizbaja, fue a avisar que la señora estaba muerta.

Capítulo 24

El Negrito no estaba. El Boquilla se sentía raro al llegar y encontrar todo silencioso. Aunque era normal que desapareciera por ratos, se había acostumbrado a los ruidos del jovencito y lo echaba de menos. Los controles estaban en el mueble, junto a una escudilla. En el piso había un vaso de jugo de china a medio terminar; daba la impresión de haberse tratado de una salida apresurada. Se dispuso a recoger. Reflexionaba que ya no era lo mismo. Sin el chico, la casa era como un lote baldío, una aldea despoblada, una isla desierta. Pensó que "abandono" era la palabra que buscaba. Era algo parecido a eso lo que definía la expresión de la pelirroja y que también fue la suya durante muchos años. Conocía lo pesado de ese sentimiento que distanciaba del mundo y aplastaba cualquier intento por sobreponerse y luchar para salir del atolladero.

Colocó en la mesa los dulces que compró en la cafetería. Siempre se entusiasmaba al verlos tan apetecibles. Eligió una dona cubierta con azúcar granulada y la saboreó con gusto. Recordó aquel día de su niñez, cuando su mamá lo llevó a la panadería y lo dejó escoger una de las muchas delicias que resguardaba la vitrina. En aquel tiempo, un pastelito significaba para él la felicidad, y lo mejor era que cabía en sus manos pequeñas. Sacó un refresco de la nevera y enfiló rumbo a la casa del Killer Joe, a unos bloques de la suya. También tenía que encontrar a Canelo.

Las imágenes revueltas se le agolpaban en la mente. Recordó las galletas redondas con un círculo glaseado en el centro que vio en el mostrador del cafetín. Un diseño similar tenía el botón con que Fausto pinchó en el brazo a la pequeña, quien hizo amago de llorar, pero en unos segundos se quedó dormida al lado de sus padres. Los pinchazos de ellos, en cambio, fueron mortales. La crueldad se servía en aquellos botones; la monstruosidad manejaba las piedras de colores.

Iba tan distraído que se tambaleó cuando un pie cayó en un hoyo recién formado. *¡Uno más para la colección, carajo!* Las calles deterioradas le traían el recuerdo de la primera vez que vio al Negrito. Jamás olvidaría aquella mirada que evidenciaba la más absoluta orfandad. La cara sucia, los ojos apagados, la desdicha devoraba a aquel pequeño desvalido. Hizo un gesto de negación; quería espantar una idea que le estaba impacientando: meditaba sobre el niño y se le atravesaba la imagen de la chiquilla. Quería dejar de pensar, mas la visión del nene tirado y enfermo se lo impedía. Había hecho todo lo posible para que dejara el vicio. Quería librarlo de los peligros, que llevara una vida sana. Hubiera dado lo que fuera por poder borrar aquella expresión de... La palabra se abrió paso entre los labios casi cerrados... *desamparo*.

Capítulo 25

*C*iprián tenía que informar sobre el fallecimiento de doña Margó a don Genaro. La señora se consumía por la enfermedad; se sabía que en cualquier momento ocurriría, pero no por eso era menos penoso. *Menos mal que ya no se estila aquella antigua costumbre de decapitar al mensajero que portaba malas noticias, porque esto se me está convirtiendo en un hábito. Las desgracias nunca llegan solas. Habrá que hacer un despojo en la casa, como dice Leonora.*

Tuvieron que inyectarle un sedante a don Genaro. Por lo débil que se encontraba, la aflicción casi lo mata. Claudia quedó muda, se sentó en la butaca con los brazos cruzados como abrazándose. A Ciprián le dolía la adversidad de aquella familia con la que había compartido tan gratos momentos. Ahora le tocaba sufrir con ellos el quebranto. En medio de tantas pérdidas, tuvo la impresión de que la vida y la muerte se suspendían entre las paredes de aquel cuarto de hospital que olía a funeraria por la cantidad de arreglos florales que recibió el patrón.

De salida, caminaba cabizbajo, reflexionando sobre los estragos ocurridos ese último mes. De pronto sintió que toda la tristeza del mundo se le agolpaba en el pecho. *Al paso que vamos, tendremos suerte si logramos sobrevivir el día de Año Viejo.* Se detuvo para sacar del bolsillo las llaves del coche. Justo en ese instante, una lluvia de bloques de cemento cayó unos pies delante de él. Por fortuna, nadie pasaba por allí en aquel momento. Se persignó, miró hacia arriba con precaución y cruzó la calle azorado. Desde la otra acera, no vio indicios de que estuvieran haciendo trabajos de construcción, ni había nadie en el alero. *Si no me detengo... ¡Jesús, María y José! Parece que la "indeseada" estuviera rondándonos a todos.*

Capítulo 26

$\mathscr{B}$ajo los efectos del sedante, Genaro cayó en un sueño profundo. Claudia, sin poder hacer otra cosa más que llorar, caminaba de un lado del cuarto al otro. Andaba como suspendida entre dos planos: uno real y otro desconocido, y lo peor era sentir que no pertenecía a ninguno. Dudaba, por momentos, si estaba despierta o soñaba, si estaba cuerda o había enloquecido. Tenía la mente embotada y los sentidos aletargados; no razonaba con claridad. El doctor y la enfermera estuvieron allí, pero no recordaba qué hicieron o cuáles fueron las recomendaciones médicas. A su memoria llegaban los recuerdos de la abuela, que, para desconsuelo de todos, se había empezado a despedir de la vida desde hacía unos años. Evocó momentos felices cuando ella le contaba historias de su propia infancia, otras veces le leía cuentos. Los que más le gustaban eran los de *Las mil y una noches*. En su voz aquellas aventuras parecían reales y su imaginación la llevaba a viajar a lugares exóticos donde era la protagonista, se enfrentaba a los obstáculos y siempre triunfaba. Le encantaba escucharla y, con frecuencia, se quedaba dormida en su cama.

La visita de Antonio la trajo de vuelta a la realidad. Les obsequió una canasta con frutas frescas a su jefe, y a ella chocolates. Entre los ricos olores de las frutas, sobresalía el de los limones, que delimitaban una circunferencia entre amarillo y verde en el borde de la canasta. El olor cítrico la transportaba a la hacienda Sanfiorenzo. Su padre tenía la costumbre de tomar limonada por las tardes. Se acostaba en la hamaca instalada en el balcón y a veces se quedaba dormido allí. Nadie interrumpía aquella especie de ritual diario en el que se liberaba del cansancio acumulado y renovaba energías. La voz del ayudante de su padre interrumpió la evocación. Se mostraba apesadumbrado por lo sucedido y estuvo un rato haciéndoles compañía. Él conoció a doña Margó poco antes de que se enfermara y le tenía aprecio, al igual que a toda la familia. Al marcharse, prometió volver pronto para continuar la plática con don Genaro. La abrazó al despedirse. Ella hubiera querido quedarse en aquel abrazo, protegida de la saña de aquel diciembre abominable. Quedó turbada, aunque ya estaba acostumbrada al efecto devastador que le producía aquel hombre. Se sentó en la cama, contempló su obsequio con avidez y escogió una pieza. *¡Qué curioso!, se parecen a los botones de abuela.*

La colección de la abuela databa de principios de siglo. Mantenía aquellos tesoros en un joyero grande de cinco gavetas, hecho de madera de caoba oscura, con tallado de rosas en los bordes y patas cortas. Tal exquisitez había pertenecido a su familia por tres generaciones. Hubiera podido tenerlo en cualquier lugar de la habitación y embellecerla aún más, pero ella prefería mantenerlo en resguardo.

Claudia conocía numerosas historias sobre aquel singular surtido. Le gustaban los botones más antiguos, unos estaban hechos de nácar y otros de baquelita. Eran extravagantes porque se utilizaban como adornos en la ropa, por eso eran muy vistosos. En la antigüedad, las vestiduras se sujetaban con cordones, le contó la abuela. Las personas de los estratos sociales más altos los mandaban a fabricar según sus especificaciones. La intención era llamar la atención por la originalidad: mientras mayor el tamaño, mejor. Con la llegada del plástico la industria cambió. Entonces pasaron a ser una parte esencial de la vestimenta. Luego hicieron su aparición los botones forrados, que fueron acogidos con entusiasmo por ser más prácticos y de bajo costo.

Uno de los preferidos de Claudia era una rosa de nácar. Se sonrojó al recordar la última ocurrencia de Antonio al llamarla "botoncito de rosa". El favorito era de baquelita, y tenía aspecto de peluca antigua. Sobresalían en la colección los de plástico, coloridos y con diseños variados, que resplandecían al menor indicio de luz. Le gustaban mucho unos con textura suave, color chocolate, como el que saboreaba mientras fantaseaba con los besos del hombre del que estaba enamorada.

De vuelta al ventanal, se llevó la mano al pecho. De la cadena colgaba un botón de principios del siglo veinte, enmarcado en oro blanco. Era plomizo y lucía un pavo real al relieve con pinceladas plateadas que resplandecían sobre el suéter negro de cuello alto. La abuela se lo regaló para un cumpleaños. En otra ocasión le regaló una pulsera hecha de botones coloridos que tenían figuras de payasos multicolores, cisnes dorados, mariposas monarcas y una diversidad de flores. En cada festividad la sorprendía con un detalle que incluía una pieza de aquellos tesoros invaluables. Nunca escuchó a su padre mencionar la colección, por eso supuso que desconocía su existencia. Eso hacía que disfrutara más la complicidad de guardar el secreto del origen de aquellos regalos novedosos. Pasaron unos años y conforme fue entrando en la adolescencia, los botones pasaron a un segundo plano, por lo que dejó de acudir donde la abuela con la misma frecuencia para que le contara historias.

Se sentó en el borde de la cama, aturdida. La viejita tampoco estaría cuando regresaran a la hacienda. ¡Qué vacío descomunal les aguardaba! Sintió que le ganaba la desesperanza. Se levantó y salió al pasillo. No quería pensar en nada, pero su mente se obstinaba en viajar al pasado. Se vio frente al hermoso joyero. Al abrir las dos puertas, la primera gaveta aparecía como un misterio. Allí, en el centro, el enigmático botón. Aunque la abuela le había contado que era el más antiguo, nunca entendió por qué una pieza tan extraña estaba en un lugar preferencial. Estaba hecho de baquelita y debió haber pertenecido a algún artista o a una persona acaudalada que gustaba del arte. Era color hueso y daba la impresión de haber sido pasado por el fuego porque lucía tiznado. *Una excentricidad.* Ella decía que era un payaso. Por más que se esforzaba, Claudia no lo veía del mismo modo. A ella le parecía que era la representación del mismísimo demonio, una amenaza del infierno temido.

Capítulo 27

$\mathscr{L}$a remodelación del hotel estaba pautada para principios de año y había mucho que hacer, por eso estaban tan ajetreados. Almacenar y organizar los materiales y equipos era un trabajo monumental y tenían que hacerlo en tiempo récord. A media tarde llegó el camión repleto de muebles y colchones.

—¡Lo que nos faltaba, una entrega de muebles! ¡Con la brega que hemos tenido hoy!

—Y mañana vienen más. Hay que colocarlos en el sótano, en el salón contiguo al *ballroom*. Tenemos un par de horas para descargar. Los demás están ocupados. Hay un montón de actividades en agenda.

—Pues qué remedio, manos a la obra.

—Oye, ¿has visto al delegado?

—Lo vi hace un rato en el *ballroom*.

—Ah, claro… la asamblea.

—¿Qué crees de eso? Pinta feo.

—Pienso que el patrono va a hacer algo. No creo que quieran líos en la despedida de año.

—Ojalá, ojalá que tu boca diga verdad. Ayúdame con este colchón, que pesa…

—Como matrimonio mal llevao.

—Bueno, bueno, a laborar más y hablar menos, ¡¿eh?! —gritó el gerente al pasar.

—Cabrón, a cuenta de que es jefe se cree más que nadie.

—Deja que siga jodiendo. Me está buscando y me va a encontrar.

—Olvídate de eso, no te hagas malasangre con él. Oye, ¡qué triste lo de Adela! Lo he sentido muchísimo.

—Con lo simpática que era… De lo mejor que había aquí.

—Y como suele ocurrir, nadie vio nada.

—¡Increíble!

—¡Qué pena! A ti te gustaba ella, ¿no?

—Sí. Quería invitarla a cenar a un restaurante que me recomendaron en Palo Seco. Se lo iba a decir hoy.

—¡Qué jodienda, ah!

—Si supiera quién la arrolló... te juro que lo mataba.

—Cuenta y jura que yo te ayudaba a matarlo.

Prosiguieron en silencio. La atmósfera se iba cargando con pesares nuevos que se unían a los viejos y conformaban una masa de tribulaciones que parecía que se iba a compactar y a ahogarlos en cualquier momento. Se tornaron duras las horas y los labios se sellaron con rabia; los ojos se opacaron, resecos por los aires infames que instigaban delirios. Se hizo insufrible la tarde. Terminaron la tarea con los últimos rayos de un sol que por fin se despedía de aquel día infausto.

Capítulo 28

*G*enaro despertó al anochecer. Claudia se había quedado dormida en la butaca. El contraste era notable: ella, tan delicada; el mueble, un adefesio. La madera sin barnizar y el color morado brillante desentonaban por lo absurdo de su ubicación en el sobrio decorado de un cuarto de hospital. El acojinado de vinilo del respaldo alto dibujaba una corona con botones en las puntas. *Tanto mal gusto junto ofende. Será el augurio de un reino que va llegando a su fin...* Hubiera querido levantarse, pero su hija reposaba la cabeza en el borde de su cama y descansaba la mano sobre su brazo. La miró con lástima. Le gustaba acariciarle la cabellera de avellanita, como él le llamaba. Se contuvo para no despertarla. Estaba más delgada y era evidente su quebranto. La melancolía se le derramaba de sus ojos azules, iguales a los de su difunta esposa. *Tan hermosas las dos.* Le remordía la conciencia cada vez que la notaba ausente. *Pobrecita. ¡Qué estúpido he sido!*

Un tenue olor cítrico se propagó por la habitación. Ciprián, eficiente a más no poder, le había dejado el paquete guardado y no olvidó los limones. Lo que necesitaba era estar a solas. Quería escribir unas cartas y hacer unas llamadas. Tendría que ingeniárselas para hacer que su hija saliera un rato del cuarto. Le esperaba un ejercicio singular: rememorar viejos códigos, ponerlos en circulación, y cruzar los dedos para que el destinatario recordara el viejo juego, las claves y sus significados.

Capítulo 29

—Todo está patas arriba por aquí, Ciprián. ¡Cuántos trastornos!

—Si doña Mariana estuviera viva nos daría algún consejo sabio.

—¡Qué mucho tardaron en llevársela! Qué duro fue que estuviera ahí tantísimas horas. ¡Partía el alma! La pobre se había ido encogiendo, parecía que iba acomodándose en posición fetal.

—Daba la impresión de que estaba dormida.

—Sí. Lo que no entiendo es...

—¿Qué? —Ciprián le tocó el hombro para que continuara—. ¿Leonora...?

—Nadie entró al cuarto. Yo me mantuve en vela. Terminé el tejido y me puse a leer. De milagro no me dormí con esa novela aburrida que me regalaste, Ciprián. —Sonrió traviesa—. Aquí no vino más nadie, estoy segura. Entonces...

—Entonces, ¿qué?

—Ayer Sarita, la muchacha de la limpieza, me ayudó a asearla, la vestimos y le cambiamos la ropa de cama...

—Por favor, termina, que me estás poniendo nervioso. ¿Qué es lo que te preocupa? ¿Pasó algo?

—Sí, ya recuerdo… El timbre sonó y fui a ver quién llamaba. Era el mensajero. Trajo la correspondencia de don Genaro. —Calló, abrió la boca y volvió a cerrarla.

—Ay, mujer, por amor de Dios, ¡termina!

—Es que no entiendo cómo llegó allí.

—¿A qué te refieres?

—La señora mantenía las manos cerradas, como los bebés recién nacidos. Cuando la gente de la funeraria la trasladó de la cama hasta la camilla, vi algo que sobresalía del puño.

—Estás agotada. Esto te ha afectado mucho y es comprensible. —La abrazó.

Descontrolada, Leonora se separó de su amigo y empezó a moverse de un lado a otro. Se persignaba y murmuraba. Parecía rezar. Ciprián la tomó del brazo y la ayudó a sentarse. Le acarició la cabellera canosa, que solo a esas horas dejaba suelta y que le caía hasta los hombros en ondas suaves.

—Tómate el día libre mañana. Descansa, lo necesitas. —Continuó consolándola al ver que comenzaba a llorar—. Sabemos lo dedicada que has sido y lo bien cuidada que estuvo doña Margó. Debes estar orgullosa, fuiste la mejor dama de compañía que pudo tener la patrona.

Leonora continuó susurrando y gesticulando para ella misma. No escuchaba. Abría y cerraba las manos.

—Tenía los puños cerrados, ya no abría las manos. Entonces, cuando me fijé, entre el dedo pulgar y el índice, vi algo brillante. Era un botón que parecía un dedal. —Su voz era un murmullo—.¿Cómo llegó hasta allí?

Ciprián no logró tranquilizarla. Se despidió apenado. *Pobre Leonora. Está extenuada. Tanto espanto por un simple botón.* El ama de llaves se mantuvo en la ventana hasta que el coche cruzó los portones principales. Entonces, sacó el botón y lo contempló con recelo. Iba a guardarlo en el tocador, pero titubeó unos segundos; al final decidió esconderlo debajo del colchón. Se sentó en la silla mecedora. Mientras se balanceaba, la oscuridad se fue colando como nube espesa en el cuarto, indiferente ante la mujer que mecía sus temores asustada y sola.

Capítulo 30

El Boquilla subió al vagón, acompañado por un niño delgado y de baja estatura. Por el camino hicieron la prueba: cabía cómodo en el cajón de madera. El Boquilla compartió un pitillo de marihuana con él. Fausto no quiso. Cuando conducía le gustaba estar despabilado.

Llegaron al área de carga. Mientras los empleados acomodaban los materiales, muebles y equipo en el sótano, el Boquilla y Fausto se desviaron hacia el ascensor de huéspedes. Dejaron el pedido frente a la puerta de la primera habitación en el piso indicado. Tocaron el timbre y regresaron al vestíbulo. No tenían que ver a nadie y nadie debía verlos a ellos.

Pasaron por el casino para repasar el plan.

—Nuestro invitado de honor va a venir al mediodía. Es predecible. Se va a estacionar en la ruleta hasta que el champán le nuble la razón. Eso suele ocurrir bastante tarde. Cuando suba al *penthouse* le daremos una sorpresa.

—¿Has pensado que mañana esto va a estar lleno aquí, Fausto? Va a haber un reguero de gente.

—Eso nos conviene.

—¿Por qué esperar? ¿No es más fácil si lo pinchas antes de que llegue?

101

—En otras circunstancias, sí. Lo que ocurre es que este caballero tiene, digamos, unas piezas esenciales que debo salvar. Además, hay que sacarle una información que solo él conoce. Posterior a eso, el tipo podrá descansar en paz.

—Y, ¿qué hacemos con los gorilas?

—Por eso no te preocupes. Nuestro contacto se encargará.

Fausto hizo una llamada al taller para que enviaran un chofer a recoger el camión y partieron en un BMW. En la radio, la noticia de última hora era la desaparición de dos turistas que viajaban con su hija de seis años:

Unos familiares solicitaron ayuda a la embajada porque desconocen su paradero. Lo último que se sabe es que estuvieron hospedados en San Juan. No hay registro de salida en el hotel y no aparecen por ninguna parte. Agentes estatales y federales trabajan en conjunto para esclarecer el caso.

Los socios se miraron asombrados. Era demasiado pronto para que las autoridades estuvieran indagando. Fausto recapituló toda la misión. Se habían asegurado de no dejar cabos sueltos. Habría que corregir pronto cualquier error u omisión si fuera el caso. *¡Imposible! Debe ser discurso para las gradas. Yo nunca me equivoco. Y, ¡ay del que pretenda pasarse de listo! Ese que se cuente entre los muertos desde ya.*

Capítulo 31

—¿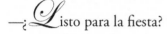isto para la fiesta?

—Sí, señor.

—Añade un par de invitados.

—¿Visitantes o inquilinos?

—Visitantes muy distinguidos.

—Se incluirán, por supuesto.

—Protocolo formal y cronometrado con atención primordial a la cocina.

—¿Y los muebles?

—Asegura los recientes.

—Y… ¿si aparecen escollos?

—Blanquea.

—¿La totalidad?

—En absoluto.

—Entendido.

—Repasa el protocolo. Cuida los detalles. La ropa… Refuerza las costuras… Asegura los botones.

—Cuente con eso, jefe.

La posibilidad de usar la Glock siempre le entusiasmaba. Puso el celular en el bolsillo interior de la chaqueta negra y fue a la barra por una cerveza. Desde allí se puso a observar el casino desde afuera y a repasar los detalles del plan. En la silla alta, como un perro sabueso, olfateaba a las hembras que estaban solas. Las más jóvenes se arrimaban a los hombres que veían sin compañía. *Parecen Lolitas del catálogo de la Madama.* Desde una máquina tragamonedas, una fémina mayor, con melena rubia, escote generoso y falda corta de cuero, le sonreía coqueta. *Una viuda alegre. Mujer sin varón, ojal sin botón.* En comparación con las primeras, esa le pareció una caricatura. *En esas estamos todos… aparentando lo que no somos; lo que quisiéramos ser.*

104

Capítulo 32

Claudia salió de la ducha y al encontrarse con que Antonio estaba en el cuarto palideció. Tenía el cabello mojado y no estaba vestida como le gustaba cuando sabía que él iba a visitarlos. Para su vergüenza, la tela de la blusa blanca era clara y temía que por no llevar puesto un sostén, los senos, aunque pequeños, se pudieran notar. Caminó hacia él con torpeza, porque sus piernas temblaban. Un fuerte rubor hizo más notable su bochorno. Su voz fue un murmullo casi inaudible cuando respondió al saludo. Aprovechó que su padre y él tenían asuntos apremiantes que discutir y se excusó. Abandonó la habitación con pasos vacilantes.

Antonio la siguió con la mirada. Sorprenderla así lo encandiló. *¡Vaya obsequio mañanero!* Las gotas de agua que caían de su cabello y resbalaban por aquella tez sin mácula acentuaban el aire de inocencia que de costumbre irradiaba. Tuvo que controlar un impulso violento de tocarla. Con gran esfuerzo continuó el diálogo con don Genaro.

—¿Qué has sabido?

—Me comuniqué con el sargento Zambrana ayer. Dice que fueron varias bombas las que originaron el incendio. Quienquiera que haya sido, supo colocarlas en puntos estratégicos.

—El granuja se aseguró de que no quedara nada en pie —masculló Genaro con rabia.

—Lo que no se tiene son pistas de quién pudo haberlo hecho. No hay testigos y no se ha encontrado nada significativo que ayude a esclarecer el caso.

Genaro resolló y se rascó la barba. Enmudeció por unos segundos; los ojos azules, vidriosos, fijos en el cielo raso. Se volvió hacia Antonio.

—Le di órdenes a Ciprián de que, terminada la investigación, no deje entrar a nadie al edificio. Quiero inspeccionar.

—Eso tal vez no le haga bien, don Genaro.

—Tengo que hacerlo, lo necesito. Cuando me recupere mando a limpiar, y a comenzar de nuevo —manifestó animado.

—¿Piensa restaurar la fábrica?

—Sí, voy a hacerlo.

—Así me gusta, jefe. Usted es un empresario ejemplar y puede lograr lo que quiera. Y ya sabe que cuenta con nuestro apoyo. Los empleados preguntan todos los días por usted; le envían sus deseos de pronta recuperación.

—Diles que les agradezco sus buenos deseos y que pronto estaré de regreso. —Hizo una pausa breve; estaba exhausto—. Antonio, necesito un favor.

—Dígame, don Genaro.

—Necesito que entregues una carta. Tiene que ser a la mano.

—Cuente con eso.

—Entrégasela al juez Gibson, por favor. —Le urgió al entregarle el sobre.

—¿Cuándo?

—Hoy mismo.

—Bien.

—Gracias. Otra cosa…

—Diga.

—Irás de incógnito.

—Quédese tranquilo, don Genaro, no se preocupe por nada. Invocaré a Mefisto para que se haga cargo —murmuró con una sonrisa ladeada.

Conversaron unos minutos más y Antonio se despidió. Genaro se sintió aliviado. Agradeció el lapso prolongado que Claudia estuvo en la ducha esa mañana, tiempo que aprovechó para escribir la misiva. Tuvo que desechar muchas hojas porque los símbolos no quedaban claros y era necesario que el destinatario los reconociera. Apretó los labios. Un dolor en el pecho le anunciaba el comienzo de la cuenta regresiva.

Capítulo 33

—Sí que te ves diferente con esa peluca. En verdad que dominas el truco de los disfraces, condenado.

Fausto se acomodó el cabello detrás de las orejas. Tras los espejuelos, los ojos lucían el mismo tono marrón oscuro de la peluca.

—Oye, el ambiente está pesado aquí, ¿no te parece? —El Boquilla se mantenía atento por si algo llamaba su atención.

—La asamblea del sindicato debe de estar en su apogeo —contestó Fausto, atento a la entrada del casino—. Aquí puede pasar cualquier cosa hoy. Tenemos que estar despiertos y aprovechar las oportunidades.

—Pensando en eso me puse los zapatos más cómodos, por si tuviera que salir corriendo como una puta cuando ve una patrulla —soltó Boquilla, e hizo un gran esfuerzo para ahogar la carcajada.

La ocurrencia hizo que Fausto evocara el episodio de la noche anterior. *Un juego de grandes ligas*. Le fascinó el espectáculo lésbico inicial de las Lolitas. Esas sí eran expertas en esas lides y sabían cómo complacerlo. Como solía suceder, ellas simulaban, pero él podía leerlas. Adivinaba quién era quién y gozaba el triunfo al acertar. Una de las menores, que pretendía pasar por mayor de edad, al principio se mostró bien atrevida e intentó llevar el control. Creyó que podría manejar la situación, engañarlo y quedar ilesa, mas no pudo. Él era más astuto y fuerte, y le excitaba someterlas. *Putitas primerizas.* Tuvo que taparle la boca mientras la penetraba con fuerza para que los gritos no fueran a perturbar a los vecinos. Luego la agarró por el cuello y la apretó tanto que casi la asfixia. En medio del desenfreno, la otra tuvo que intervenir para que el asunto no se saliera de control. Era el tipo de acción que le causaba el mayor placer: primero se daba gusto con la novata y la dejaba vencida, con una mueca entre dolor, susto y resentimiento; entonces venía la segunda tanda. Aspiraron más coca. Puso un casete en el reproductor portátil y le pidió a la otra, la más experimentada, que bailara. Los sensuales movimientos de cadera de la danza oriental, que la muchacha ejecutaba con desenvoltura, lo volvieron a excitar. La agarró por la ondulada cabellera, la tiró boca abajo sobre la cama y la montó con urgencia, profiriendo obscenidades al tiempo que la embestía. Ansiaba con vehemencia morder aquella espalda perfecta de estatua de alabastro, pero se contuvo debido a que la suma pagada no incluía esa dispensa. Tenía que luchar contra ese instinto demoledor que le surgía en el instante de mayor fogosidad y lo hacía porque estaba consciente de que mantener ese deseo reprimido lo enardecía aún más. Arrebatado por el goce extremo, estalló en un alarido victorioso que la música a todo volumen apenas pudo solapar. La pasó de maravilla.

Con el deleite de la evocación Fausto apuró el último sorbo de vino. El rastro en el fondo de la copa se asemejaba a las manchas de sangre que quedaron en las sábanas.

Pidió otra copa y consultó el reloj. Frunció el ceño al constatar la hora: la una de la tarde. El invitado de honor debería estar sentado a la mesa. Introdujo un billete en la máquina y marcó una jugada múltiple.

—Se hace esperar el tipo. ¿Qué tal si no llega?

—En ese caso, habrá que ir por él. —Levantó la copa y miró hacia la entrada—. Pero no será necesario, Boquilla. Mira quién acaba de llegar.

—Y muy bien acompañado. —Se traslucía un dejo de envidia en el murmullo del Boquilla.

—Dos guardaespaldas y un par de modelos despampanantes; el magnate sabe cómo proporcionarse diversión. Ahora a esperar a que lleguen los invitados especiales y tendremos casa llena. —Entusiasmado, le dio otro sorbo a su copa.

—¿Primer paso?

—Sí, verifica que todo esté al corriente en la cocina. Recuérdale al contacto la bebida especial del invitado de honor. —Fausto introdujo más billetes en la máquina. Desde allí disfrutaba de una vista panorámica de las mesas.

—No tardo. —El Boquilla salió rumbo al sótano.

No podía quitarse de encima una preocupación, aunque no podía definir qué la motivaba. El colorido de las luces y el ruido de las máquinas le añadían matices a su desconcierto, con lo que se le dificultaba razonar con claridad. Se detuvo en el último escalón y por un rato quedó embelesado con los tonos azules y verdes de la alfombra, que le parecieron una combinación de cielos y mares que relajaban el espíritu. Prosiguió su camino a la cocina, pensativo. Eran indescifrables aquellos aires de las postrimerías del año.

Fausto reconoció al gerente en una de las mesas de *blackjack*. Lo notó algo agitado. No le dio importancia pues supuso que se debería al estrés natural de la jornada. Encendió un cigarrillo. El invitado de honor se acomodó en la mesa de la ruleta reservada para él. Las damas se sentaron a su lado. Los guardaespaldas se apostaron detrás.

—Todo listo en la cocina. —El Boquilla se sentó e introdujo unas monedas.

—Perfecto. Ahora a esperar. —Fausto tomó una bocanada larga del cigarrillo y continuó la jugada. Impelido por la música que resonaba con su cadencia pegajosa, se puso a tararear: "New York, New York…".

El casino estaba muy concurrido. El Boquilla no acostumbraba a vestir con ropa formal, pero allí había código de vestimenta, de modo que trataba de aparentar una seguridad que no sentía. Se consolaba pensando que quizá los demás estarían igual de molestos, aunque simularan lo contrario. Lo animaba el hecho de que entre aquella gente tal vez pudiera pasar desapercibido. No obstante, lo dudaba porque todos quedaban demasiado cerca en las máquinas de juego. Le incomodaba que se fijaran en él pues estaba consciente de que el maquillaje no conseguía cubrir las cicatrices de la piel. Un movimiento involuntario de los hombros daba cuenta de su azoramiento. La música competía con los ruidos de las tragamonedas y los jugadores, exacerbados por la celebración, formaban una gran algarabía. Se sintió aliviado cuando la voz del socio interrumpió sus pensamientos.

—Vaya, vaya, por fin hacen su entrada los invitados especiales —anunció al ver a dos hombres altos y corpulentos.

—Ya era hora. Oye, tienen una pinta de *bouncers,* que espanta —murmuró entre dientes el Boquilla. Decidió dar una ronda, deseoso de cambiar de aire.

El invitado de honor apostaba grandes sumas de dinero y bebía en la misma proporción. Sudaba tanto que las acompañantes se turnaban y le pasaban un pañuelo, a la vez que lo animaban, entusiastas, a seguir retando. Los guardaespaldas no se le despegaban. Al ganar el tercer juego se levantó complacido y consultó su reloj antes de encaminarse hacia el servicio sanitario. Fausto buscó al Boquilla, pero no lo vio. Observador habilidoso, siguió atisbando a su alrededor. Muy cerca de él, la sirena de una de las máquinas comenzó a sonar. Una mujer gritaba jubilosa porque había ganado el *jackpot*. Emocionada, agitaba el sombrero rojo con letras doradas: *Happy New Year 1987*. Al ritmo de la música triunfante de la máquina, se movía como un péndulo descontrolado en su silla; el cabello blanco se le empezaba a desatar del moño que lo sujetaba en la nuca. Las personas más próximas la felicitaron, a otros la envidia los dejaba con una mueca congelada. Todos volvieron a sus juegos, aunque más de uno sospechó que era poco probable que la fortuna tocara dos veces el mismo día. El invitado de honor, liberado de la corbata y con petulancias de magnate, seguía desafiando al azar. Las mujeres, melosas, le murmuraban al oído y él reía, les plantaba un beso a cada una, levantaba la copa, hacía un brindis, tomaba un sorbo y volvía a concentrarse en la partida. Los guardaespaldas seguían en su sitio, con la misma expresión inescrutable. Entretanto, los invitados especiales se movieron a la barra y conversaban con el cantinero. Al mismo tiempo, vigilaban con disimulo a los jugadores.

114

Fausto se apartó para llamar al socio. En el momento en que se disponía a marcar, las luces parpadearon y se apagaron. El rumor de voces aumentó y el ruido de pasos que se confundían en la oscuridad se intensificó. Cuando el salón se iluminó de nuevo, pasó revista a su alrededor. Un detalle lo inquietó: faltaba el invitado de honor. La vibración del celular lo sobresaltó. Caminó hasta un área más despejada, cerca del cajero, para contestar. La música de Bing Crosby se imponía sobre el bullicio, y al ritmo de "I'm dreaming of a white Christmas", la normalidad regresaba.

—El sindicato declaró la huelga. Se formó una pelea en el vestíbulo y Seguridad tuvo que intervenir —murmuró el Boquilla.

—Boquilla, ¿qué haces ahí? —masculló, molesto por la ausencia sin explicación.

—Cuidando de nuestro honorable. —Se le percibía una entonación misteriosa.

—¿Qué?

—Yo iba para allá cuando vi que salía, así que me quedé vigilando. Fue directo al mostrador de servicio y estuvo haciendo llamadas hasta ahora, que acaba de entrar al casino.

El invitado de honor se acomodó en su asiento y volvió a sus apuestas. Uno de los invitados especiales se movió a otra mesa y lo observaba con insistencia. El gerente hablaba con el cajero, mientras miraba alrededor como si buscara a alguien. Aunque intentaba disimular, se le notaba desencajado.

—Cambio de planes, Boquilla —prosiguió con voz engolada—. Pasamos al plan B.

Capítulo 34

laudia estaba feliz por su padre, quien lucía mejor aspecto. Incluso había comido. Esa era una buena señal pues, en el tiempo que llevaba en el hospital, apenas probaba los alimentos y, no importaba cuánto le insistiera, no lograba convencerlo. Los últimos días fueron muy difíciles para él. Tantas pérdidas dejaron huellas en su semblante. Le dolía verlo así y echaba de menos su sonrisa amorosa. Lo abrazó y se sentó junto a él. Encendió el televisor y en todos los canales reseñaban los sucesos más impactantes del año que estaba por terminar en pocas horas:

El 29 de abril, el agente encubierto Alejandro González Malavé, fue asesinado frente a su casa tras recibir varios disparos desde un automóvil en marcha. Hacía dos meses le habían concedido inmunidad por declarar contra los otros policías involucrados en el asesinato de los dos jóvenes independentistas el 25 de julio de 1978 en el caso del Cerro Maravilla... Uno de los acontecimientos más comentados en Puerto Rico se trató del nacimiento de Adlin, el 31 de mayo. La comunidad científica celebró el hecho, mientras que algunos sectores han criticado duramente la intervención humana en lo que consideran asuntos de Dios. Sin duda, el nacimiento más comentado y el que generó un debate que, de seguro, se extenderá por largo tiempo... La noticia más impactante del mes de junio: la sentencia de doscientos ocho

años a Lydia Echevarría y ciento catorce a David López Watts
por el asesinato del productor de televisión Luis Vigoreaux.
El testigo estrella del ministerio público, el otro acusado,
Francisco "Papo" Newman, declaró bajo inmunidad en este
sonado caso… En otras informaciones, veredicto de culpabili-
dad contra el banquero Raúl Peñagarícano, por treinta y tres
cargos de fraude bancario… El líder obrero Luis Laussell fue
sentenciado a tres años de prisión por no rendir las planillas
de contribución sobre ingresos… El gobernador Rafael Her-
nández Colón emitió una orden ejecutiva que obliga a los
empleados de varias agencias de Gobierno a que se sometan
a pruebas para detectar el consumo de drogas… En los últi-
mos meses se recrudeció la violencia contra las mujeres. En la
mayoría de los casos, las agresiones provienen de sus esposos…

Cansada del recuento que, en su mayoría, se compo-
nía de noticias trágicas, Claudia se levantó y fue hacia el
ventanal. *¡Que termine de una vez este año funesto!* Has-
tiada, quería enajenarse, desaparecer, dejar de sentir. No
obstante, a ratos le apetecía rememorar lo sucedido en la
mañana. Se había cruzado con Antonio en el pasillo y este
le expresó su deseo de volver a verla. Eso la tenía emocionada. Recreaba el calor de su pecho contra el suyo, los ojos
que la hacían alucinar, aquella voz profunda, su sofoco violento. Contemplaba a su padre y se debatía entre decirle o
no. Decidió que aún no, pues temía su reacción. De todas
maneras, con dieciocho años ya era mayor de edad y podía
tomar sus decisiones. Siguió mirando la tele, sin prestarle
atención en realidad; soñaba despierta con el ojiverde ayudante de su padre.

Varios juicios en proceso incluyen el de Alberic Giraud y
José Velafosas, acusados por fraude bancario contra Giraud

Trust... El coronel Miguel Rivera fue acusado por ofrecer protección a boliteros y dueños de prostíbulos... El exagente Alejo Maldonado enfrenta nuevos cargos en el Tribunal Federal, por delitos relacionados con el crimen organizado y se le relaciona con siete asesinatos... Al exjefe de la División de Arrestos Especiales de la Policía, Julio César Andrade, le radican acusaciones por asesinato en primer grado... A los cinco fiscales especiales: Pedro Colton, Ángel Figueroa, Juan Brunet, Aurelio Miró y Osvaldo Villanueva, que realizaron las primeras investigaciones en el caso del Cerro Maravilla, se les imputan treinta y seis cargos... En notas policiales, se llevan a cabo los operativos Aguinaldo y Parrandón para desarticular puntos de venta de drogas en varios pueblos de la Isla, simultáneamente. En el operativo Pedestal se confiscaron dieciséis residencias, nueve automóviles, tres botes y dos aviones...

A Genaro le costaba trabajo contener la agitación que lo mantenía en vilo. No dejaba de pensar en la tarea que le dio a Antonio. Confiaba en que su ayudante se las ingeniaría para entregarle la carta, aunque sabía que abordar al juez Gibson no sería fácil. *Ojalá que entienda la advertencia.*

Genaro se entretuvo rememorando. Él y su amigo el juez estudiaron juntos en la Universidad, pero hacía más de dos décadas que no se veían. En aquel tiempo descubrieron la tinta hecha con zumo de limón que usaban para escribir mensajes ultrasecretos, que metían dentro de libros y que intercambiaban al cruzarse en los pasillos. Luego, aplicaban el calor del fuego de un encendedor por la parte de abajo del papel y descifraban los códigos. Así se avisaban uno al otro sobre asuntos importantes de los cursos o de las estudiantes que les interesaban, y también para gastar bromas a algunos incautos. En una ocasión, Genaro le envió una nota con un condiscípulo donde le avisaba que su archienemigo iba a encontrarse en la cafetería con la chica más popular de la clase. Cerca del mediodía, cuando el susodicho pasaba por un edificio adyacente al lugar de la cita, fue blanco del chorro de una pistola que, en vez de agua, contenía orina. *El infeliz no pudo identificar de dónde salió la agresión y tuvo que volver sobre sus pasos, maldiciendo a viva voz. Más que ingenioso, amigo, eras implacable. ¡Ay del que buscara pleito contigo!*

118

Era un juego que les divertía. Con el tiempo descubrieron herramientas más refinadas, como los bolígrafos especiales rellenos de tinta invisible y luz ultravioleta en un extremo, un dispositivo práctico para sacar de apuros académicos. Cuando tenían pruebas difíciles, preparaban una página con las claves necesarias y esperaban el momento propicio para sacarla. Luego, volteaban el bolígrafo y le dirigían la luz directamente al papel hasta hacer aparecer las claves, de manera que aseguraban la aprobación de los exámenes con excelentes calificaciones. Eran unos pícaros, en especial Gibson, que en la escuela de Derecho siguió utilizando aquellos métodos. Siempre se salía con la suya. Sobre todas las cosas, le importaba su bienestar y se encargaba de proporcionárselo. Confiaba en que se acordara de él y de aquellas formas elementales de comunicación que les fueron útiles en sus primeros años de formación universitaria. Esta vez, unos trazos de zumo cítrico guardaban el secreto para evitar un desenlace fatal.

Capítulo 35

$\mathcal{E}$l Boquilla fue al mostrador a escribir una nota. En el vestíbulo se topó con que se había armado otra pelea cerca de la barra. Aprovechó la oportunidad y le hizo una seña al Killer Joe, quien se escabulló rumbo al salón contiguo al *ballroom*. Llevaba una bandeja de comida, según planificado. Los guardias de seguridad comenzaban a repartir macanazos para someter a la obediencia a los revoltosos.

El otro invitado especial regresó a su mesa; el de honor se volvió a levantar y fue a la recepción. Fausto iba a seguirlo, pero llegó la mesera con una copa y se la entregó junto a un menú del que sobresalía una tarjeta. La nota con letras rojas leía: "SE ACABÓ LA FIESTA". Dejó la copa y aceleró sus pasos. De salida, se cruzó con la joven de la cocina, que llevaba una bebida preparada según el plan. Le guiñó el ojo y prosiguió. En la entrada tropezó con un hombre viejo que refunfuñaba entre dientes. Una de las empleadas lo escoltó hasta una mesa con un meloso "adelante, señor juez". Apresurado, uno de los gerentes cerró la puerta tras él. El Boquilla esperaba en el vestíbulo y ambos apretaron el paso al percibir el olor a humo. Se detuvieron en la glorieta. En pocos minutos se escuchó la primera explosión. De las ventanas del primer piso comenzaba a asomar el humo que la fuerte ventisca disipaba con presteza.

Fausto se separó del Boquilla para hacer una llamada.

—Hubo que corregir una filtración, jefe… No hay seguridad, por ahora… Las coordenadas están confusas… Perdimos algunos botones… Por supuesto, daremos una batida…

Impresionados por la magnitud de lo que acontecía, se aprestaron a continuar con la próxima parte del plan. Tuvieron que abrirse paso entre la gente que se amontonaba, como si los hubiesen convocado a las inmediaciones del edificio. Caminaron hacia otra calle, poco concurrida. Iban cabizbajos, para evitar que repararan en ellos, hasta que llegaron a un vagón estacionado frente al mar. Allí se pusieron uniformes de policía y esperaron a que los recogiera la patrulla. El Boquilla se asomó a la ventanilla. La playa estaba vacía pues los bañistas salieron al escape al escuchar la primera explosión. A esa hora, el Atlántico embestía la orilla sanjuanera con un oleaje de un gris inusitado. *Es la pelona que llega*. Quedó admirado. Era la primera vez que la veía emergiendo del mar rumbo a tierra. El tono urgente del socio lo sacó de su abstracción.

—Dime una cosa, Boquilla: dices que el invitado se detuvo en el mostrador de servicio.

—Sí.

—Y qué aspecto tenía.

—¿A qué te refieres?

—Me refiero a su indumentaria. La corbata, por ejemplo.

—Ah, bastante fea, por cierto. El tipo tiene mal gusto.
—Nada le espantaba lo bromista.

—Entonces, ¿cuál de los dos era el nuestro?

—No te entiendo.

—Nuestro invitado de honor se quitó la corbata. Sudaba como un cerdo. Salió acompañado de un guardaespaldas.

—Cuando lo vi estaba solo.

—Visto está que sabe que corre peligro y consiguió un doble —sentenció mientras le daba vueltas con el índice izquierdo a la gorra.

—O alguien lo está protegiendo. Debe tener dinero para pagar eso y más.

—Es posible. Él tiene información valiosa y peligrosa al mismo tiempo, como que es uno de los dueños del hotel.

—Debe haber un montón de personas interesadas en él. —El Boquilla se miraba en el espejo desde distintos ángulos, se ajustaba la gorra azul y, divertido, remedaba a un policía cascarrabias que patrullaba por el barrio.

—Empezando por los otros dueños. Eso complica las cosas. Por eso mismo tenemos que asegurarnos de que se lleve sus secretos a la tumba —dictó Fausto, solemne.

—¿Y lo que íbamos a limpiar arriba?

—Eso se lo dejamos a tu contacto, si es que logra acceso al *penthouse*. Lo más importante es localizar a nuestros sujetos: vivos o muertos. —Esto último lo remató con una mueca siniestra.

La patrulla que estaban esperando hizo un cambio de luces al detenerse detrás del vagón. Los socios se montaron y regresaron al hotel, que se había convertido en un escenario apocalíptico. La humareda se hacía cada vez más espesa. Los bomberos entraban y salían cargando personas heridas, otras inconscientes, y las entregaban a los paramédicos que estaban listos para prestar los primeros auxilios. Las personas que lograron salir ilesas gritaban desconsoladas y los curiosos que se iban sumando completaban el vocerío. Algunos querían entrar, pero un cordón policial se los impedía, lo que propiciaba que la histeria y el pánico comenzaran a cundir entre aquellos seres espantados ante el siniestro. El aire se tornó irrespirable y no quedaban mascarillas, por consiguiente, los voluntarios que se unieron a las labores monumentales de rescate se quitaban las camisas, se cubrían la nariz y se ponían a la disposición de las autoridades. El calor abrasador aturdía los sentidos. Era una lucha desigual contra un coloso hecho de llamas.

Una nube apelmazada iba cubriendo el edificio. El Boquilla sintió temor. Si le pasaba algo a Canelo, su mami Maru, aunque pasaba casi todo el tiempo drogada, lo sufriría. Él era su sostén, velaba por ella a costa de su propia seguridad y no le importaban los sacrificios que tuviera que hacer. No conocía más familia que su progenitora ni tenía conocimiento de nadie que tuviera su misma sangre. Solo eran ellos dos para afrontar la vida en la que sobrevivían a duras penas. Trató de calmarse pues el Killer Joe estaba adentro y tenía instrucciones; él mismo se las había dado.

El fuego arreciaba y el esfuerzo por apagarlo era monumental. A la faena se unieron cuatro hombres que llegaron con aires de autoridad y se dispersaron para hacer un reconocimiento exhaustivo, en particular donde estaban asistiendo a los heridos. Uno de ellos se distanció del tumulto y se dispuso a hacer una llamada por el celular. Fausto se fue aproximando con disimulo. Debido al alboroto reinante, el recién llegado tuvo que gritar para que el interlocutor pudiera escucharlo.

—No contesta ni está entre los rescatados hasta ahora. Estaba en el casino la última vez que supe de él… Bien, aquí nos quedaremos.

Los recién llegados se unieron a los otros uniformados que intentaban mantener el control entre los huéspedes que gritaban histéricos porque tenían familiares atrapados en el hotel. Además, daban órdenes a los cientos de curiosos que invadían la avenida Ashford para que despejaran el paso a los bomberos. Fausto y el Boquilla observaban desde una distancia prudente.

—Siguen llegando más agentes y, al parecer, están detrás de algún honorable.

—¿Alguien como alguno de nuestros invitados?

—Me temo que sí. Qué lástima que no fueron puntuales. Pudieron haber sido partícipes de la gran fiesta —respondió Fausto con fastidio. Sudaba profusamente. A falta de pañuelo se secaba con las mangas de la camisa.

Se dividieron y Fausto se quedó al frente. El Boquilla fue a hacer guardia en la parte trasera. Al pasar por el lado del camión de los bomberos, los escuchó discurrir sobre qué iban a hacer porque la escalera no funcionaba. Pasó por el área de la enorme piscina, donde una gran cantidad de flotadores daba cuenta de la actividad humana anterior al desastre. Llegó al punto de encuentro que se estableció en la playa. Allí se concentraban la desesperación, el griterío y la impotencia. *¡Qué despedida de año más cabrona! Terminar con un fuego. Y qué jodida suerte la mía. Tener que estar tan de cerca del infierno otra vez…*

Los bomberos entraban y salían con personas afectadas. Fausto escrutaba a los rescatados. Cada minuto que pasaba se le dificultaba más estar allí. Le ardían los ojos y la mascarilla era insuficiente para repeler el humazo. Respirar se tornaba una tarea titánica. Le parecía que el calor infernal los iba a derretir en cualquier momento y el hollín los cubría de tal manera que parecía que andaban ataviados para una fiesta de disfraces. *Un colectivo de zombis.* Media hora más tarde lo llamó el Boquilla.

—Esto está cabrón, Fausto. Hay muertos por todas partes. Unos cuantos se tiraron y cayeron cerca de la piscina. ¡Horrible!

—Horrible, sí. ¿Alguna otra novedad?

—Fui a dar una vuelta por ahí y me parece que vi a uno de los sujetos escoltado por dos gorilas. Se fueron a las millas de chaflán. No puedo confirmarlo, pero juraría que era él.

—¿El vehículo?

—Un Mercedes negro.

—¿Anotaste el número de la tablilla?

—No tenía.

—¡Carajo!

—¿Qué hacemos?

—Llamaré al jefe.

Por lo visto, alguien más estaba moviendo sus fichas. Fausto no concebía que existiera gente más lista, y menos que intentaran burlarse de él. Por primera vez, una sensación de vulnerabilidad lo paralizó unos segundos que le parecieron eternos. Miró a su alrededor y a los techos de los edificios. *Hijos de puta, los voy a agarrar y a dejar como colador; no les va a caber un agujero más en el cuerpo. Los voy a borrar del mapa, cabrones. No ha nacido el que se meta conmigo.* Tuvo la intención de encender un cigarrillo, pero se contuvo. Escupió con rabia y regresó a su puesto.

Capítulo 36

$\mathscr{C}$arola terminó su turno y se disponía a marcharse. Afuera se acordó de que había olvidado las llaves en la cocina y regresó por ellas. Cerca del bar, el olor a humo la desconcertó. Paró en seco y miró a su alrededor. Nadie parecía percibirlo pues seguían trabajando con normalidad. Cuando iba a comentarlo, se activaron las alarmas. La explosión la hizo tambalear y cayó en la entrada.

Todo se volvió confusión, griterío y desasosiego. Carola fue hasta la playa, donde se estaban reuniendo para ponerse a salvo y poder socorrer a los heridos y familiares de los damnificados. Todo era histeria colectiva. Miró a su alrededor: no encontró a Mabel. Nadie sabía de ella. Movió la cabeza para espantar algunas ideas descabelladas que se le presentaban de improviso. *Juraría que la vi en el vestíbulo. Quizás me equivoqué porque esa no llevaba el uniforme de la cocina. ¡Lo que hace el estrés, Dios mío!* A unos pasos reconoció a un hombre viejo, lleno de hollín, que rezaba y se persignaba. Sintió lástima por él y se le acercó. Estaba como en un trance y repetía sin cesar: "Es obra del demonio". Por más que trató, no pudo sacarlo de su ensimismamiento. En un grupo comentaban que los empleados del casino no se veían por ninguna parte. Apesadumbrada, se sentó en las inmediaciones de la piscina y se puso el chal multicolor sobre los hombros.

Esperaba, igual que los demás, recibir noticias de sus colegas y rezaba para que pronto pudieran extinguir el incendio.

Capítulo 37

Un obrero murió sepultado bajo un derrumbe mientras trabajaba en la construcción del Nuevo Mameyes en Ponce... Un incendio en la farmacéutica Merck, Sharp & Dohme... Otro en las instalaciones de la Telefónica, en septiembre, dejó a la Isla incomunicada con el exterior... El accidente nuclear más trágico en la historia hasta hoy ocurrió la noche del 25 de abril, en Chernóbil, Ucrania. La cantidad de material radiactivo liberado fue doscientas veces mayor que el de las bombas de Hiroshima y Nagasaki, hacia el final de la Segunda Guerra Mundial...

El resumen de noticias fue interrumpido para informar sobre el incendio en el Hotel Dupont Plaza de San Juan:

Los visuales son impactantes. Sugerimos discreción con los niños. Hay gente afuera gritando, en su mayoría son turistas que tienen familiares dentro del hotel. Los bomberos han logrado salvar a algunas personas, pero ya no se puede entrar porque el fuego se ha propagado por todo el primer piso. Las llamas salen por las ventanas, el edificio es una columna de humo. Helicópteros rescatan personas que subieron a la azotea. Han podido sacar ilesos a un número aún indeterminado de huéspedes. En la desesperación, algunas personas se tiraron por los balcones, según constatado por testigos. Se dice que el número de víctimas puede llegar a ser alarmante, una tragedia sin precedente en el país.

La noticia tuvo el efecto de hacerles revivir su desgracia a Claudia y a Genaro. Cuando se recuperaron de la impresión que les causó el reportaje, se abrazaron y lloraron.

Cada media hora interrumpían la programación para actualizar las informaciones:

Se rumora que unos trabajadores del sindicato fueron los que iniciaron el fuego en el sótano; que este se extendió por los conductos del aire y llegó al casino, donde ocurrió el mayor número de muertes. Las personas que estaban allí no pudieron escapar porque las puertas estaban cerradas. Se rumora, además, que entre los finados se cuenta uno de los dueños del hotel y un juez federal. Esa información no ha sido corroborada por la gerencia.

Capítulo 38

—Veo que se armó la gran fiesta.

—Ya lo creo que sí, jefe.

—¡Vaya manera de concluir el Año Internacional de la Paz en esta Isla!

—Nosotros lo hacemos mejor.

—¿Asistieron los invitados?

—Mejor que eso. Éramos muchos y parió la abuela.

—Interesante. ¿Y qué parió?

—Gemelos, uno de ellos anda de paseo.

—¿Con qué rumbo?

—Desconocido.

—¿Y los demás invitados?

—Puede que estén extraviados.

—Ubícalos.

—¿Si encuentro peces aleteando?

—Prepara un caldo con ellos.

Terminó la llamada y colocó el celular sobre la almohada. Volvieron a interrumpir la programación para una actualización sobre el siniestro en el hotel.

Esta será recordada como la despedida de año más fatídica en Puerto Rico. Se estima en un centenar el número de occisos. Nunca había ocurrido una tragedia de semejante magnitud en la Isla.

Capítulo 39

Fausto se desplazó hasta la playa para rastrear a los invitados. Aunque el Boquilla estaba apostado allí, se hallaba intranquilo y quiso ir a dar una ronda. Los que buscaba no estaban entre los congregados allí. Como le advirtió el socio, era deprimente presenciar cómo crecía el número de víctimas. Regresó a su puesto y se unió a los bomberos cuando estos pudieron entrar al edificio. Se toparon con varios muertos en el vestíbulo y para poder acceder al casino, tuvieron que derribar la puerta. Lo que vieron ante sí los dejó espantados: era un panorama dantesco. Había cadáveres sentados, de pie, la mayoría amontonados enfrente de ellos.

Oteó los cuerpos calcinados hasta que pudo descubrir por el reloj grueso chamuscado, al invitado de honor, o al menos a uno de los dos. Supuso que los que estaban a su lado debían de ser los guardaespaldas y las mujeres. *¡Qué desperdicio!* Continuó con el reconocimiento. Se figuró que los invitados especiales eran los que se yacían cerca. A juzgar por los hechos, cumplieron con su deber hasta el final. El viejo con el que tropezó debía de ser uno de los que estaban apiñados junto a otros en la oficina del pagador. Infirió que el cuerpo con la bandeja a sus pies sería la chica de la cocina. Estaba en un rincón junto al gerente que hacía las veces de contacto. Salió y se quitó la mascarilla para aspirar aire fresco, pero se la tuvo que volver a poner.

Imposible evadir el hedor de la muerte. Era nauseabundo. Abandonó el hotel y se unió al Boquilla.

La mezcla de humo y hediondez que emanaba la pira en que se había convertido el Dupont era insoportable. Estaba mareado y con deseos de vomitar. Fue a la piscina para intentar recuperarse. Agarró una botella de agua, cortesía de unos comerciantes solidarios, y se lavó la cara. Una empleada se le quedó mirando, lo que hizo que se sintiera molesto por la intromisión. De vuelta a la calle, caminó hasta un espacio retirado del bullicio para hacer una llamada y regresó con su socio en el momento en que la patrulla pasó a recogerlos.

Desde el asiento trasero, el Boquilla llamó a Fausto y, cuando este se volteó, rompió a reír.

—Y a ti, ¿qué te pasa?

—Mírate —contestó burlón.

Fausto se miró en el espejo unos segundos y sonrió.

—Con razón la doñita con la carpa de colores no me quitaba la vista de encima.

—Yo creía que eso de tener los ojos de colores distintos era cosa de perros.

El chusco del Boquilla se divertía a costa suya. No le quedó más remedio que relajarse. Removió el lente de contacto que le quedaba puesto y se examinó en el espejo; estaba cubierto de hollín. El chofer los llevó al vagón, donde se cambiaron de ropa y esperaron a que pasara el taxi que los sacaría de allí, según planificado.

—Tengo que bañarme pronto. Apesto a cadáveres calcinados, no lo soporto.

Fausto se fijó en el Boquilla, que, aunque tiznado, no lucía molesto. *A este ni los malos olores lo sacan de carrera. Para colmo, el cabrón no suda.*

Capítulo 40

—¡*Q*ué creativo, Genaro! ¿Alguna novedad?

—Parece que la camisa trajo un botón adicional que terminó cayéndose.

—Algo no previsto.

—Definitivo.

—Y ¿lograron repararla?

—Negativo.

—No me gustan los botones sueltos.

—¿Qué sugieres?

—Brigada de sabuesos. Me hago cargo.

—Al parecer hay otro *brother* interesado en esta fiesta.

—Los rivales nunca faltan. Lo que procede es identificarlos e incluirlos en el jolgorio.

—Por cierto, se ha puesto de moda la cacería de brujas, lo escuché en la radio.

—En este país está prohibida la caza, mi amigo.

—Habrá que hacer algo entonces.

—Se hará. ¡Y que siga la fiesta!

—¿Según convenido?

—Según convenido.

—El botón perdido puede ocasionar inconvenientes.

—Daremos con ellos.

—¿Algo nuevo para mañana?

—Sí. Te doy los detalles más tarde.

Tuvo ganas de tirar al piso el celular, patearlo, arrojarlo lejos, pero sabía que sería en vano. El Big Brother lo encontraría dondequiera que estuviera. Sintió lástima de sí mismo, de lo que había hecho con su vida y de las consecuencias nefastas sobre su familia. Miró por la ventana con la esperanza de hallar alguna distracción que, aunque fuera efímera, lo sacara de su tormento siquiera por un rato.

Afuera, una brisa leve movía las ramas de un árbol tierno que crecía ajeno a las miserias de la gente que día a día llenaba las habitaciones, y cada espacio del Centro Médico.

Capítulo 41

—*D*amos comienzo con labor social, Fausto.

—Bien.

—Los detalles son cruciales.

—¿Qué tal un clavelito rojo?

—Exacto.

—¿A qué hora?

—De madrugada. Baja por la ruta más rápida.

—Entendido.

—Coloca el presente en la butaca roja con respaldo inclinado hacia atrás. Insiste en la contraseña.

—¿Obsequios adicionales para visitas inesperadas?

—Por supuesto, tienes que estar preparado.

—Perfecto.

—Recalco la limpieza. No se comienza el año nuevo con muebles viejos.

—¿Si algo fallara, jefe?

—Aprieta el botón del pánico.

Era la primera vez que llevaba a cabo una empresa de tal magnitud. Transportar a una criatura como se transporta cualquier mercancía era peligroso. Además, le preocupaba el destino de la niña, pero no podía hacer nada al respecto.

Ya había pagado un alto precio por intentar zafarse del yugo de la Fábrica de Botones. *Nadie puede cruzar el infierno sin quemarse en el intento.*

Capítulo 42

$\mathcal{L}$eonora meditaba durante su paseo nocturno por el jardín principal. La noticia del fuego en el hotel la tenía angustiada. Estaba preocupada por don Genaro y la señorita Claudia. Los imaginaba frente al televisor viendo las escenas que transmitían cada media hora y lo consternados que debían de estar.

Caminó por la vereda que bordeaba el jardín de rosas. *¡Qué hermosas están! Como si la señora las siguiera cuidando.* Se sintió conmovida.

Doña Margó… Seguía sin entender cómo llegó aquel botón a su puño. El ropero estaba lejos de la cama, era allí donde ella guardaba la colección de botones. Se ruborizó al evocar aquel día. La había dejado dormida, pero más tarde regresó para buscar su abrigo. Abrió la puerta con cuidado y la vio sentada en la cama. Buscaba dentro de un joyero. Se le ocurrió que quizás se habría sentido nostálgica y quiso volver a ver las joyas heredadas de su madre. Cerró sin hacer ruido y se alejó de puntillas. Algunos años después, cuando la patrona quedó postrada por causa del Alzheimer, no pudo resistir la curiosidad y decidió hacer la averiguación. Entonces descubrió el secreto.

Miró hacia la habitación de la patrona. Calculó que se podría subir por una escalera bien alta. *Los empleados tienen de esas, pero no vi ninguno por allí ese día. El único que estuvo fue Ciprián, que vino volando cuando lo llamé para darle la triste noticia. Escuché el ruido de un motor. Eso no es nada extraordinario porque muchos coches entran y salen de la hacienda. Me pareció ver otra persona en la camioneta. Pudo haber sido mi imaginación; estaba nublado y no tenía puestos los espejuelos.*

138

Se había sentido azorada desde temprano. *Es como un maleficio que no quiere abandonarnos.* Le pidió a Candole, la espiritista, que fuera a hacer un despojo antes de que el patrón volviera. Él no creía en esas cosas, pero ella sí, y estaba segura de que era urgente hacerlo. La familia merecía un descanso de la malaventura. Incluso ella necesitaba sacudirse la angustia. Se pasaba llorando, sobre todo de madrugada. Mientras los demás dormían, ella daba ronda por los pasillos como si pudiera cuidarlos con su abnegada vigilia. Una ráfaga helada la azoró. Se persignó y ajustó el abrigo. Apuró el paso. *Hasta el viento sopla muerte.*

De lejos llegaban los ruidos de las celebraciones. El año estaba por terminar.

Capítulo 43

$\mathcal{D}$ecidieron ir al apartamento de Fausto para asearse y descansar un rato. En lo que su socio dormía, el Boquilla intentó llamar a su contacto. Marcó varias veces el número, pero el aparato no funcionaba. Se movió por la sala, salió al pasillo y volvió a entrar. No fue posible lograr la comunicación. Su ansiedad se agudizó. No saber nada de su gente le crispaba los nervios, estaba desesperado. Unas horas más tarde sonó el celular: era el Killer Joe.

—¡Carajo, por fin! Cuéntame, amigo.

—No pude llegar a la habitación del mandamás. El humo subió demasiado rápido y no era sensato arriesgarme.

—¿Y Canelo?

—Lo encontré en el pasillo y lo monté en el helicóptero. El viejo cabrón se fue huyendo al primer aviso de la alarma. Por la escalera vi a un par de jovencitos asustados.

—¿Los sacaste?

—Por supuesto.

—¿Pudiste situar a alguno de los invitados?

—Entre toda esa gente histérica no.

—¡Qué momento!

—Pura acción, como me gusta a mí. Todavía estoy *hyper*.

—Oye, amigo, no voy a llegar hasta mañana, díselo al Negrito, por favor.

—Eso suena a juerga con mayúsculas, ¿eh?

—¡Ojalá tu boca dijera verdad! Te voy a pedir otro favor: si para mañana no he llegado, llévalo al centro que te dije. Tiene que ser temprano que, si coge calle, después no hay quien lo convenza.

—Ok. ¿Todavía no terminan? —preguntó el Killer Joe, tras unos segundos en silencio.

—No. Esto es un tremendo embrollo y faltan algunas cosas por hacer.

—Ok, cuídate, ¿ah?

—Nos vemos. ¡Feliz año nuevo, amigo!

—Ojalá termines pronto para que puedas celebrar. Tengo un ron pitorro que le zumba, y ya sabes, nunca faltan otras distracciones. ¡Feliz año nuevo, amigo!

Fausto despertó y vio al Boquilla fumando en el balcón, alelado. Contemplaba los fuegos artificiales que aparecían unos tras otros y trazaban estrellas, cascadas y otros efectos multicolores que llenaban de luz el cielo de la Noche Vieja. A las once en punto partieron.

—¿A dónde vamos?

—Hacia el sur.

—¿Cómo es eso?

—Primero vamos por la mocosa para dejarla en un orfanato en Ponce.

—¿Para qué querrán a esa colorá?

—No sé, ni me interesa. Hago lo que se me encomienda, no me corresponde hacer preguntas.

El Boquilla introdujo un disco compacto de Cyndi Lauper en el aparato reproductor. Se mantuvo atento a la canción *Girls just want to have fun*. Con las últimas notas musicales, reanudó la plática.

—Me gusta ella. Está loca pa'l carajo, pero canta lindo. —Retornó a su buen humor.

Fausto no contestó. Fingía estar distraído.

—Oye, amigo, ¿cómo fue que te metiste en esto? Ya tú sabes, la curiosidad mató al gato.

—Tengo un olfato especial para el dinero, y aquí hay de sobra, como te has podido dar cuenta.

—Yo creía que tú tenías suficiente plata.

—Quiero más.

—Nunca es suficiente, ¿verdad?

—Nunca —respondió Fausto con firmeza.

El Boquilla cambió la música por una estación AM. Las reseñas sobre lo acontecido continuaban.

El conteo sobrepasa las noventa víctimas fatales. Los rumores extraoficiales sobre uno de los dueños y un juez federal que pudieran estar entre las personas fallecidas fueron desmentidos por la administración.

—Tanta alharaca con que el fuego del hotel es una tragedia de grandes proporciones. Grande fue lo de Chernóbil —refutaba Fausto con una mueca de seriedad que acentuaba la burla.

En otras informaciones, el FBI continúa la búsqueda de la pareja de europeos y su hija. Dicen tener pistas. Por el momento, todo se mantiene en estricta confidencialidad.

Fausto hizo un recuento mental. El taxi tenía la matrícula de un auto robado, por ahí no podían llegar a ellos. A los extranjeros los recogieron en la calle, ellos no hicieron ninguna llamada; no había rastro que seguir. Condujeron sin detenerse hasta un área solitaria en la que pararon a tomar un descanso, y donde él se las ingenió para pincharlos con los botones negros en el momento en que abordaban el vehículo. Al final, la continuación del viaje hasta el salto Collazo, según dispuesto por Big Brother. No hablaron con nadie en el camino, ni siquiera con el jefe. Fue un trabajo riguroso. Era improbable que tuvieran pistas. Miró al Boquilla, que fumaba aislado en su burbuja de humo.

Capítulo 44

$\mathcal{G}$enaro no podía dormir. Le comunicó al doctor su decisión de marcharse al día siguiente. La estadía forzosa en el hospital lo tenía desesperado, se sentía prisionero. Estaba deseoso de retomar su vida, regresar a la hacienda, respirar la brisa fresca de la montaña en las mañanas, el olor a hierba mojada por la lluvia vespertina, el aroma de las azucenas y los jazmines que perfumaban las noches. Necesitaba estar con los suyos de nuevo, disfrutar de la hospitalidad de su gente, sentir la calidez de sus abrazos. Era apabullante pensar que lo esperaban dos sepelios. Eso podía ser letal por su condición aún frágil, mas no le importaba; estaba decidido. Los sentimientos se le entremezclaban. Volver a la fábrica era una idea que lo consternaba, pero tarde o temprano tendría que encarar la realidad.

La programación se interrumpió para la actualización de las noticias. La administración del hotel había desmentido que un juez federal estuviera entre los infortunados. *Me parece verte... sentado a la mesa, tratando asuntos que están bajo investigación, cuadrando influencias... Qué escándalo si se supieran las cosas que ocurren tras bastidores en tantos casos. La muerte se encargó de limpiar la escena. Ahora inventarán otra causa de muerte y te velarán con todos los honores. Genio y figura hasta la sepultura, amigo Gibson. Qué pena que en esta coyuntura te falló el ingenio. ¿Por qué no prestaste atención a la carta que te envié? ¿Recibiste la carta?*

Capítulo 45

—Se acaban de preparar dos bandejas para la fiesta.

—Eso sí que es eficiencia, Brother.

—El agasajo es digno de un hotel cinco estrellas. Los meseros han de ser cuidadosos.

—Mis meseros son expertos.

—Excelente. La primera incluye un trío de carnes selectas, *USDA Choice,* para la despedida en San Juan. Aseguren el combustible para mantener caliente el contenido. No quiero que se eche a perder.

—Entendido.

—La segunda saldrá la primera noche del año nuevo. Se trata de un arcano.

—Me gustan los enigmas.

—Te aviso.

—Aquí estaré.

—Sabes, he estado considerando lo vital que es la pesca. Puse un señuelo, te encargo la vigilancia. Déjame saber si todo sigue marchando sobre ruedas.

—Me hago cargo.

Genaro puso el celular a un lado de la cama con un gesto de fastidio. *¡Jodida misión inacabable! ¿Cómo podremos librarnos de esta? ¡Cuántas complicaciones! Ya parece un campeonato de ajedrez.*

Capítulo 46

—Cerciórate de que tengas el equipo necesario y el tanque lleno de combustible. Hay que disponer de dos platillos para la fiesta.

—Usted dirá.

—La primera con filetes.

—Eso me gusta, con estilo.

—Bien cocidos.

—¡Salen *well done!*

—La segunda saldrá mañana.

—Estupendo.

—Un detalle más: debemos probar si el taller es confiable. Es propicio explorar otros proveedores. Haz las pruebas de rigor.

—Cuente con eso.

—Por último, quiero un trabajo limpio.

—Descuide, jefe. Su servidor, Mefisto, está a cargo.

Mefisto… Viene al caso para una faena de la magnitud de esta. Guardó el celular y se concentró en un objetivo. Al concluir la operación llamaría a la Madama. Una de las adquisiciones noveles incitaba sus apetencias. La foto parecía la de una modelo de revista. Tenía los ojos rasgados, oscuros, la nariz perfilada y los labios tiernos, sensuales. Toda esa belleza estaba enmarcada por una cascada de hermoso cabello negro rizado hasta los hombros. Se le notaba una tersura y un aire de púber irresistible. Era una invitación al placer. *Unas rayas de coca en esas tetitas incipientes, ah… ¡pura ambrosía! Hermosa princesa de ébano, pronto tendrás tu inauguración.*

Capítulo 47

$\mathcal{F}$austo utilizó una llave maestra para acceder a la oficina del taller. Entró a una covacha y salió vestido con uniforme de paramédico y un fino bigote. Sacó de un sobre las llaves de la ambulancia y las indicaciones para llegar al orfanato. El Boquilla se puso la ropa, pero no pudo mantener el mostacho pegado sobre el labio superior. Lo desechó, molesto. Le fastidiaba aquel atuendo. Todo lo que estuviera relacionado con hospitales le revolvía el estómago. Para completar, la visión perturbadora del hotel en llamas revivía en él viejos rencores que aún lo trastornaban.

Se desplazaron hasta la parte posterior y en el camino un ruido metálico los sobresaltó. Corrieron a cubrirse detrás de un vagón, pistolas en mano. Cuando se cercioraron de que no había peligro apresuraron el paso; resoplaron aliviados al entrar a la ambulancia. Fausto tanteó debajo del asiento y extrajo un bulto grande. Dentro, vio con enorme beneplácito un rifle AK-47, dos peines con treinta balas cada uno, un silenciador y una mira telescópica con punto rojo. Le colocó los aditamentos al arma y comprobó el alcance. Lo acarició y sonrió complacido. Dio la orden al socio y arrancaron. El Boquilla sacó de la gaveta el control de acceso del portón y lo accionó. Fausto se quedó vigilando la retaguardia hasta que llegaron a la carretera principal.

—¡Vaya par de pendejos que somos! —enunció riendo el Boquilla al cabo de unos minutos.

Fausto lo miró curioso. Su socio prosiguió.

—Hoy se celebra la despedida del año. Hay alboroto por dondequiera y nosotros, ¡qué ridículos!, nos pusimos nerviosos por un ruidito. —Se desternillaba de la risa.

Fausto reconoció que el Boquilla tenía razón, pero no le causó ninguna gracia. Meditaba en la encomienda que tenían que cumplir, y en las largas horas que les esperaban hasta terminar. Se consolaba al mirar el rifle. No veía el momento de empezar a usarlo. Despegó una esquina del papel engomado que cubría un cristal minúsculo en uno de los lados. Desde allí podía disparar sin ser visto. Los orificios estratégicos no se notaban desde afuera porque la pintura los camuflaba bien. *El Big Brother piensa en todo.*

—¡Diablos! —exclamó el Boquilla.

—¿Qué pasa?

—No encuentro el celular. —Mortificado, registraba los bolsillos del uniforme.

—Estaciónate y revisa. Se habrá caído debajo del asiento.

El Boquilla detuvo la ambulancia en el carril del paseo y buscó. Golpeó el volante con fuerza.

—Debe haberse quedado en el taller… Sería cuando me quité la ropa —murmuró tenso.

—Regresemos.

—Lo siento, Fausto, no sé cómo…

—¡Olvídalo! ¡Hay que ir a buscarlo! Puñeta —mascu-lló entre dientes.

Para su sorpresa, el portón estaba entreabierto.

—¿Será que tenemos compañía? No faltaba más. —Fausto escupía las palabras con fastidio.

Entraron a la oficina y vieron el celular en la esquina del escritorio. *¡Increíble! No recuerdo haberlo puesto ahí.* El hecho de no acordarse de cómo lo perdió lo tenía en ascuas. Esas cosas no solían ocurrirle.

Cuando iban de salida, se toparon con el dueño, que, a juzgar por la camiseta mojada y manchada de aceite, había estado ocupado en alguna reparación. Suspiraron aliviados; intercambiaron saludos y se fueron raudos a continuar con el trabajo. Fumaron en silencio por un rato; pasmado el Boquilla, irascible Fausto.

—¿Has sabido del Killer Joe?

—Sí. Me comuniqué con él en lo que tú dormías.

—Dime una cosa, ¿desde cuándo lo conoces?

—Desde que me fugué del hogar sustituto. Fue el primero que me ayudó, me quedé en su apartamento en lo que conseguía un cuartito.

—Le debes estar agradecido.

—Lo estoy. Además, él es de mi entera confianza.

—¿No tiene familia?

—Su familia se mudó a Nueva York hace mucho. Él estuvo allá unos meses, pero no se acostumbró.

—¿Y Canelo? ¿Con quién vive el mariconcito?

—Canelo vive con su mami.

—¿No tiene padre?

—No. Son ellos dos. De hecho, nadie sabe quién es el padre.

—No le has dicho de esto a nadie, ¿o sí?

—¡No! Ni que estuviera loco.

—Mira que de esto no puede saber ni nuestra imagen en el espejo.

—Uy, como sonó eso: "… ni nuestra imagen en el espejo" —se burló del socio—. No sabía que eras poeta.

—¿Poeta, yo? Ya no hay poetas, mi amigo. La poesía murió con Borges hace unos meses.

El Boquilla se preocupó al ver al socio tan tenso.

—Dime, ¿qué es lo que sabe el mozalbete del desvío en el Salto? —Volvió a indagar Fausto.

—Aparte de sujetar el letrero y recibir sus chavitos, nada más.

—¿Seguro?

—¡Segurísimo!

—¿Sabía qué llevábamos en la ambulancia?

—¡Oye, yo no soy un lengüisuelto para estar dando detalles y menos a cualquier pelagatos!

Fausto tenía el ceño fruncido y la barbilla elevada. El Boquilla continuó hablando; quería que su socio se calmara.

—Es por las noticias, ¿no? Yo que tú no haría caso. No dejamos rastros. Mira que le he dado cráneo y no, no dejamos huellas. Eso de que tienen pistas lo dicen para que la gente piense que en verdad tienen algo. Puro cuento.

Fausto permaneció en silencio. En caso de una fisura, estaban a tiempo para corregirla, pero no lograba detectar dónde pudiera estar.

—¿Viste el taxi en el taller? —preguntó sobresaltado Fausto.

—Ahora que lo mencionas, no. Por lo menos no donde lo estacionamos.

El Boquilla se sintió fastidiado. *Tenía que estar donde lo dejamos, que nadie más lo usara. Tendremos que averiguarlo.* Luego de una pausa breve, como era su costumbre, cambió el tema.

153

—Oye, Fausto, ¿quién será el tipo ese que viene del carajo viejo a tirarse niños aquí?

—No sé quién pueda ser. Imagino que un tipo eminente en su país y, por lo que se ve, en este también. Viene a menudo.

—Y el cabrón tiene cojones. Los pide con especificaciones: negritos y bajitos.

Se detuvieron en la única estación de gasolina que estaba abierta, en Puerta de Tierra. Fausto fue a comprar cigarrillos y algo de comer; entretanto, el Boquilla llenaba el tanque. Eran los únicos allí. A esa hora, la gente de San Juan festejaba con gran alboroto la víspera y en pocos minutos celebrarían Año Nuevo con mayor algarabía. De regreso en la ambulancia, Fausto se notaba ansioso.

—No sé, Boquilla. Hoy me siento paranoico.

—¿Y eso por qué?

—Es que, al momento de pagar, no sé por qué, sentí como si me estuvieran vigilando.

—Las gasolineras tienen cámaras de seguridad —comenzó a decir el Boquilla, pero se interrumpió y le hizo una seña a su socio para que mirara el vehículo que acababa de detenerse frente a una bomba.

Del Mercedes Benz negro se bajó un hombre alto y musculoso.

—¡Qué chiripa, amigo! Es uno de los que se llevaron al honorable.

Fausto tuvo la intención de preguntarle si estaba seguro, mas desistió. El Boquilla tenía memoria fotográfica.

—¡Vaya, vaya! ¡Qué pequeño es el mundo!

154

Consultó su reloj, faltaban cinco para las doce. Salieron del garaje y se estacionaron en el espacio lateral de un edificio sin iluminación al cruzar la avenida. El Boquilla sacó los binoculares de la gaveta, miró hacia el interior del auto y pudo constatar que allí estaban fumando el invitado de honor y el otro escolta. Fausto descorrió un poco la cortina de la ventanilla detrás del asiento del conductor y ajustó el rifle.

—Segundos para las doce, Boquilla. Esta gente se va con el año viejo. Que comience el conteo regresivo: cinco, cuatro, tres…

El guardaespaldas terminó de pagar cuando dieron las doce. Se escuchaban ruidos, gritos, música, fuegos artificiales y petardos. La descarga atenuada del rifle fue ahogada por la algarabía reinante. Derribó al primero antes de que entrara al auto. En seguida disparó a los otros dos que, adentro, no pudieron reaccionar más allá de abrir las bocas, atónitos al ver caer al chofer. Los cuartos de dinamita hacían coro de fondo. El Boquilla observaba a través de los binoculares.

—El gorila se está moviendo.

Fausto afinó la puntería e hizo tres descargas más. El Boquilla puso la mano sobre la del socio, que apuntaba hacia la bomba de gasolina.

—Ese cabrón ya no se mueve más. ¡Salgamos de aquí!

Se alejaron a toda velocidad. Fausto se mantuvo vigilante. Guardó el rifle bajo el asiento y acarició la pistola, que parecía esperar acción. El olor a pólvora que se percibía en el interior de la ambulancia le estimulaba los sentidos. Se secó el sudor copioso que le chorreaba por la cara y el cuello, se acomodó en el asiento, cruzó los brazos detrás de la nuca y gritó entusiasmado:

—¡Feliz año nuevo, Boquilla!

—¡Feliz año nuevo! —respondió el socio, en el mismo tono.

Un charco oscuro y espeso se fue escurriendo por el asiento trasero del Mercedes negro, al tiempo que otro similar se iba extendiendo por el cemento crudo de la estación. En el cielo se esparcían brillantes tonos rojizos que le daban la bienvenida al nuevo año.

Capítulo 48

Tres empleados quedaron encargados del casino cuando los bomberos fueron a registrar las habitaciones. Tenían órdenes estrictas: remover los cuerpos del dueño del hotel, del juez federal y de los dos agentes, para meterlos en bolsas plásticas. Muy diligentes, habían dado un número equivocado de finados desde el principio, de manera que nadie se percataría de que faltaban cuatro. Prosiguieron según dispuesto y los colocaron en dos carros de la lavandería, cubiertos con sábanas y toallas blancas. Se aseguraron de que el área estuviera despejada para salir a hacer la entrega en el lugar provisto. Uno de ellos se quedó haciendo guardia en la entrada.

—Esta gente tiene privilegios hasta después de muertos, ¿ah? ¡Increíble! —expresó uno.

—¡Qué mucha comemierdería!, no está bien que un juez federal muera en esas circunstancias —se burlaba el otro—. Si le gustaba apostar, ¿cuál es el problema?

—¿Qué historia les irán a inventar? Apostemos. Al juez lo harán perecer de alguna forma creativa y, por supuesto, lo velarán con el ataúd sellado.

—Yo apuesto a que a alguno de ellos le pondrán la famosa frase: "Murió tras una larga enfermedad". Hay que estar pendientes de las noticias para reírnos de esas ridiculeces.

Callaron al acercarse al salón indicado, cuya puerta estaba entreabierta. Al fondo había cuatro personas de espaldas a ellos. Dejaron los encargos y regresaron.

—¿Has oído lo que dicen por ahí? Se rumora que unos empleados unionados fueron los que causaron el incendio.

—Sí, lo escuché.

—Yo no creo eso, en verdad que no lo creo. Hubo un par de peleas en el vestíbulo, pero los guardias intervinieron enseguida.

—Y la fogata se armó rapidito. ¡Qué casualidad!

—Yo salí tan pronto empezaron a gritar: "¡fuego!" Me quedé paralizado por la impresión. No podía creer lo que veía. Cuando reaccioné, ya habían bloqueado el paso.

—La policía y los bomberos llegaron bien rápido.

—Yo me mantuve al frente, por si podía ayudar. No me dejaron hacer nada, en especial un tipo que tenía un ojo verde y el otro marrón. El primer hombre que veo en esa facha.

—Sí, sí, lo vi. Bastante antipático el tipo. Oye, no sé tú, pero a mí esto me huele a gato encerrado. Aquí hay algo que yo no entiendo.

—¿Qué piensas?

—Yo creo que esto se trata de un chanchullo interno, tú sabes, por los de arriba, porque lo cierto es que no imagino a ninguno de los empleados pegándole fuego a los colchones.

—Yo tampoco. ¿Por qué iban a hacer una locura como esa?

En la entrada del casino, uno se agachó y recogió algo que sobresalía entre los escombros. Frunció el ceño, sorprendido. Era un botón forrado con tela roja. *Como si lo hubieran puesto adrede, casi no tiene polvo. Esto es algo difícil de concebir entre tanta quemazón.* Se lo mostró al portero, quien se lo arrebató de inmediato y se largó, con mucha prisa.

Capítulo 49

El Boquilla subió el volumen para escuchar *El brindis del bohemio*. Le gustaba ese poema y su versión preferida era la del declamador dominicano Juan Llibre. Tenía que disimular la pesadumbre que lo embargaba. Se acordaba de haber tenido a su mamá hasta los cinco años. Un día el abuelo le dijo que había fallecido y desde entonces tuvo que vivir con el viejo amargado, que a la menor provocación lo azotaba. Él corría a esconderse y para espantar el miedo recreaba la imagen adorada. Era hermosa, con su cabellera negra rizada y sus ojos del color de la miel, que lo miraban con una ternura inmensa. Su piel suave tenía un tono café con leche claro. La extrañaba muchísimo, sobre todo al amanecer, porque jamás un café le volvió a saber como el que ella preparaba. El azúcar no endulzaba igual y el pan olía distinto. La mantenía viva en su pensamiento, tanto que a veces dudaba de que en realidad estuviera muerta. Le gustaba creer que el viejo mentía y que tarde o temprano la volvería a encontrar. Podría jurar que la reconocería, a pesar del tiempo transcurrido. Recurría a esa esperanza para animarse y espantar el sentimiento de derrota que a menudo lo asaltaba. A su edad, seguía soñando con ella y le gustaba fantasear con que al despertar seguía a su lado, como cuando era un crío.

A Fausto el poema le parecía cursi. El Boquilla permaneció callado. Ni siquiera encendió un cigarrillo en ese lapso, sorprendente en él.

—Jodidos caminos en tan mal estado y, para completar, sin alumbrado público —masculló Fausto.

—Como hay pocas casas, el Gobierno no se apura. Eso sí, si fuera gente rica la que viviera por aquí, todo estaría perfecto —comentó el Boquilla en tono burlón.

Se desviaron por el ramal que llevaba a la propiedad de la anciana. Ya al frente, el Boquilla hizo un cambio de luces. Se encendió el farol del balcón unos segundos y se apagó. La señora bajó, abrió el portón y volvió a subir. La ambulancia avanzó con cuidado. Esa noche tampoco había luna.

Fausto entró con cautela. Llevaba un botón con una piedra negra. Fue hacia el cuarto donde dejó a la pupila y vio a la vieja sentada al lado de la cama. Caminó hacia ella con el sobre que contenía la paga por sus servicios y cuando esta extendió la mano él accionó el botón negro. La vieja lanzó un chillido y se le alteró el rostro. Las mandíbulas quedaron atascadas. Un hilo de saliva espesa se deslizó por un surco profundo del mentón, rodó por la mano elevada hasta la garganta y desapareció en el abrigo gastado que cubría el pecho vetusto. Fausto guardó el sobre en el bolsillo y llevó a cabo un registro rápido de la casucha para comprobar que todo estuviera bajo control. Satisfecho, buscó a la criatura y, con ella en brazos, se aprestó a salir. Miró por última vez a la figura que boqueaba en el sillón. La escasa luz de la vela añadía un efecto tenebroso a aquellos ojos desorbitados que apuntaban al vacío y al hueco desdentado de las fauces abiertas petrificadas en una mueca espantosa.

El Boquilla se sobresaltó al escuchar un ruido. Agarró los binoculares y miró a lo alto, pero no vio nada. *Es el motor de un helicóptero. ¿Qué carajo está pasando aquí?* Iba a llamar a su socio, cuando lo vio con la niña envuelta en la sábana blanca. Lo ayudó a fijar los cinturones con los que la mantendrían atada a la camilla.

—¡Vámonos! —ordenó Fausto con urgencia.

—Espera. ¿Escuchaste algo afuera?

—No escuché nada. ¿Qué pasó?

—Me pareció escuchar un helicóptero.

—¡¿Qué?! —chilló Fausto.

Tomó los binoculares; un esfuerzo inútil porque la oscuridad era impenetrable.

—¡No se ve un carajo! ¿Tú viste algo?

—No, no vi nada. Solo escuché el ruido. Juraría que era un helicóptero.

—Vámonos de aquí. ¡Puñeta!

Fausto intentaba divisar algo, pero era imposible en aquella oscuridad. El Boquilla afinaba el oído. Los pensamientos se disparaban y chocaban contra una pared infranqueable. Las dudas abrían paso a la mortificación. Ambos temían las consecuencias de una posible emboscada.

Capítulo 50

*G*enaro corrió la cortina que separaba las camas para tener privacidad y extrajo de la gaveta el frasco con zumo de limón y un palito de madera. Hizo unos trazos en una nota. Quería entregarla al senador de distrito en la primera oportunidad que tuviera. La guardó en la billetera y la colocó en el bolsillo del pantalón que tenía dispuesto para salir del hospital. Descartó los materiales usados en el recipiente de basura contaminada y volvió a acostarse. Tenía la idea de llevar a cabo el plan para acabar con el Big Brother y la Fábrica de Botones. Las horas transcurrían lentas y no conseguía dormir. De todos modos, mantuvo los ojos cerrados. Su hija dormía en la otra cama y no quería despertarla.

Claudia vio a su padre levantarse, sentarse en la butaca, ir al baño, cerrar las cortinas, volver a sentarse. Fingió que seguía dormida para no hacerlo sentir mal. Comprendía que estaba inquieto porque en la mañana dejaría el hospital. Se volteó con la esperanza de continuar con el sueño feliz: en él estaba con Antonio. Charlaban en una mesa de un restaurante cuya vista al imponente mar no se comparaba con el verde de los ojos que derribaban sus defensas. Estaba extasiada, segura de que le iba a declarar su amor. Soñaba despierta cuando un aroma conocido la trajo de vuelta a la realidad. Pensó con deleite que recordaría esa última madrugada en el hospital por aquel rico olor a limón fresco.

Capítulo 51

El Boquilla estaba ofuscado. Fausto no admitía fallos. Él tampoco, por eso lo obstinaba la cuestión del celular. La última vez que lo usó lo guardó en el bolsillo del uniforme. *¿Cómo se me pudo haber caído sin que me diera cuenta? ¿Cómo pudo pasarme una cosa así?*

Se había preguntado infinidad de veces cómo sería la muerte, ese instante en que se parte de este mundo. Era una curiosidad que tenía desde niño. Después del incendio consideró el suicidio, pero psicólogos, religiosos y otras personas bien intencionadas lo aconsejaron. Le decían que tuviera fe, que continuara el tratamiento para vencer la depresión, que pronto superaría la crisis, y lo animaban a seguir adelante, aun cuando las circunstancias fueran adversas. Adoptó algunas recomendaciones, perfeccionó algunas mañas y aprendió a sobrevivir en las calles con la ayuda de sus amigos. Ahora que no le cabía duda de que su fin estaba a la vuelta de la esquina, sentía una serenidad sorprendente. Miró sus brazos llenos de cicatrices. *¿Habrá algo que duela más que esto?* Recordó la primera vez que vio su cara reflejada en el espejo del hospital. La retrospección lo conmovía y volvía a compadecerse de aquel muchacho desvalido y temeroso que fue. A pesar de los años, siempre que se topaba con su semblante en alguna vitrina se espantaba de sí mismo. Era una figura derretida lo que veía, no quedaba ni un rastro del cutis terso, recipiente en su niñez de los besos y caricias de su mamá. Muchas personas cambiaban la vista al verlo, como si su desgracia fuera contagiosa. Él se encorvaba y se mordía las uñas. Añoraba el amor y la protección de la figura materna. *Con esta apariencia nadie más puede quererme.* Se volvió hacia la ventanilla para que su socio no notara las lágrimas que se empezaban a desbordar sin que pudiera controlarlas. Simuló un episodio de tos para poder cubrirse el rostro con un pañuelo y secarse las lágrimas. Tuvo la impresión de que los árboles, burlones, amenazaban con arroparlos y hacer aún más tenebrosa aquella oscuridad que parecía que se los iba a tragar en cualquier momento. Se sorprendió al percatarse de lo harto que estaba de la vida miserable que llevaba. Deseó con fuerza que el Killer Joe no olvidara lo que hablaron en cuanto al Negrito.

Fausto se hallaba muy contrariado con la idea de que los estuviesen vigilando. *¿Será que el pez mordió el anzuelo? En ese caso sería fácil resolver la situación.* Las cosas se complicaban si los intrusos eran los federales. El jefe estaba ajeno, eso era obvio. De tener información, le habría advertido. Aun así, no podía ocultar su desconcierto. El Boquilla tenía la audición aguda. Solía embromarlo por esa causa; le decía que por oídos tenía radares. Por ende, no ponía en duda lo que había dicho. Lo miró indolente. No era tan fácil conseguir subalternos con esas destrezas. Consultó su reloj: estaban a tiempo. Llegarían antes del amanecer.

Capítulo 52

—*M*ercancía recogida, jefe.

—¿Alguna novedad?

—Un invitado inesperado.

—No se puede admitir.

—Entendido. Jefe, es previsible que pululen insectos.

—Inaceptable. Fumiga.

—Le mantendré al corriente.

—Asegúrate de que la fiesta sea un éxito.

—Me hago cargo. Será la segunda tanda del convite.

Fausto terminó de fumar y regresó a la ambulancia. Se sobresaltó al ver al Boquilla subir también; creía que se había quedado adentro mientras él hacía la llamada.

Capítulo 53

—¿Qué me cuentas, Genaro?

—Primer ágape diligenciado.

—¿Clientes saciados?

—En absoluto.

—¿Y el consumo?

—Muy satisfactorio.

—Estupendo.

—Brother, pronto confirmaremos si al pez le atrajo el señuelo.

—En cuyo caso morirá como los peces.

—Su justo merecido.

—Algo más: viene otro azafate.

—¿El menú?

—Es una incógnita.

—¿Para qué el anuncio?

—Para que estés preparado.

—¿Por qué no ahora?

—En su momento, Genaro.

Era lo que lo descontrolaba, que el Big Brother tuviera el dominio absoluto. *¿Quién diría? Yo, que me enorgullecía de estar en control de todo. ¿En qué me he convertido? En la* *marioneta del Hermano Mayor, ¡de ese hijo de puta!* Lo peor era tener que controlar la ira que lo devoraba para no lastimar más a su hija.

Capítulo 54

La niña despertó y se echó a llorar. Llamaba a sus padres. Fausto la desamarró y la ayudó a sentar. Le acercó una mochila que contenía una manzana, una caja de cereal dulce, chocolates y una botella de jugo de uva, y se apartó de ella para que comiera. El Boquilla atisbaba la escena por el espejo retrovisor. La chiquilla lucía ojerosa y estaba aterrorizada. El socio le hablaba en inglés.

—Ahora sí, Boquilla, la mocosa dice que quiere ir al baño.

—¡Diantre!

—Tendremos que detenernos.

El Boquilla detuvo la ambulancia a la orilla. El socio bajó con la niña y se adentró con ella en el pastizal. Casi de inmediato se escuchó el ruido: era un helicóptero. Se detuvo en seco. Miró hacia arriba, pero no se veía nada. La pequeña aprovechó el descuido y se echó a correr. De unas cuantas zancadas, Fausto la alcanzó y la cargó de vuelta a la ambulancia; los gritos y el pataleo lo descontrolaban. La acostó en la camilla y le ordenó que se callara. Muerta de miedo, la pelirroja se puso en posición fetal y se cubrió la cara con las manos mientras lloraba desconsolada. No se atrevió a moverse, aunque le dolió el pinchazo que la mantendría dormida por unas cuantas horas más.

—No me equivoqué, amigo. El helicóptero nos está siguiendo.

—Bien. Vamos a enseñarles que con nosotros no se juega.

—¿Qué hacemos?

—Nada. Vamos a esperar a esos cabrones.

174

—¿No te parece arriesgado?

—Para nada. Tenemos a la mocosa. No nos van a atacar. Están esperando la ocasión propicia, pues se la daremos.

Agarró el rifle y ajustó la mira. El ruido del motor se escuchaba cerca, en la maleza. Aguzaron el oído. El Boquilla se mantuvo observando con los binoculares hasta que el helicóptero apareció.

—Espera —previno el Boquilla. Al cabo de unos segundos le urgió—: ¡Ahora!

Fausto disparó a un hombre que los acechaba. El helicóptero dio un giro brusco. Las descargas no cesaron hasta que el aparato cayó en picada. El estruendo rompió la calma de aquellas horas.

—¡Vámonos! —gritó Fausto.

Cuando pudo constatar que nadie los seguía, se secó el sudor y emitió varios chasquidos rítmicos con los dedos.

—Acabamos de presenciar la purificación, y no en la calle del Cristo —murmuró Fausto con placidez.

El Boquilla lo miró de soslayo. A veces su compañero decía cosas que él no entendía.

—Si los Macheteros tumbaron once aviones de la Guardia Nacional, que yo tumbe un helicóptero privado no es nada. ¿No crees, Boquilla? —Fausto estaba eufórico. Acariciaba el rifle con emoción.

—¿Cómo diablos llegaron hasta nosotros? —El Boquilla se rascaba la sesera, impaciente.

—No sé, pero esos pendejos ya no siguen a nadie más —contestó mientras examinaba el interior de la ambulancia, en búsqueda de algún artefacto que pudiera lucir sospechoso.

—Esto es más grave de lo que yo imaginaba —murmuró el Boquilla, sin poder disimular su preocupación.

—Alguien tuvo que darles las órdenes a esos sujetos. ¿Quién diablos estará al mando? —Tras una pausa, añadió—: Boquilla, detente por aquí.

Trató de llamar al jefe. Sus intentos fueron inútiles; el celular no registraba señal. *¡Qué jodienda!* Se tocó el uniforme y se quitó los zapatos; no encontró nada. Pararon en una estación de peaje en desuso y ambos se registraron, no tenían encima nada anormal. Fausto se notaba desesperado. Acostumbrado a salirse siempre con la suya, le resultaba inconcebible siquiera pensar en que pudiera cometer una sola equivocación. Se bajaron de la ambulancia y con la ayuda de una linterna revisaron la carrocería, abrieron el bonete y examinaron el motor, luego por debajo del vehículo. No vieron nada que les llamara la atención así que volvieron a abordar.

Fausto intentó hacer otra llamada; no hubo éxito. Tuvo deseos de lanzar el aparato fuera de la ambulancia, mas decidió darle paso a una idea que en un principio le pareció insólita. Lo desmontó. No halló nada que despertara sospechas. Le pidió el celular al Boquilla y procedió a desarmarlo.

—Un transmisor. ¡Cabrones! —exclamó entre dientes al descubrir una pieza redonda, del tamaño de una moneda de diez centavos, adherida a la batería.

Lo lanzó con fuerza por la ventana. El Boquilla no podía dar crédito a lo que estaba ocurriendo. Se sintió acorralado. No tenía defensa frente a lo imprevisto.

—¿Cómo? No entiendo…

—¿Cuándo fue la última vez que revisaste la batería?

—Anoche. No lograba hacer una llamada y la saqué. Eso no estaba ahí.

—Lo dejaste en el taller.

—"Lo dejé" no. Se me quedó, que es diferente —se defendió el Boquilla.

—Un olvido que pudo habernos costado la vida.

—Lo siento, Fausto.

—De nada valen las excusas, Boquilla. ¡Vámonos de aquí!

Prosiguieron en silencio. Tenían que completar la operación. "¿Quién más querrá a esta niña?", era la pregunta que se hacían ambos.

La criatura, pequeño amasijo de miedos, yacía lívida en la camilla. El suéter blanco estaba sucio. Los bluyines, de un azul oscuro, encubrían la mugre. Las medias y los tenis estaban salpicados de tierra. Cerca del borde, el cabello, recogido en una cola de caballo, se desbordaba de la camilla. Con la luz tenue de la parte trasera, parecía una pequeña llama que se mecía al vaivén de la ambulancia.

Capítulo 55

La negra Candole azotaba los muebles con el mazo de ramas mientras murmuraba oraciones en una lengua ininteligible. Se movía en círculos, en una especie de danza. Según se iba acercando al ropero, su cuerpo se ponía rígido y emitía unos quejidos lastimeros. Parecía que convulsaba, y no se movía de allí. Era como si un imán la retuviera y no pudiera despegarse de aquel mueble antiguo que guardaba los secretos de doña Margó. Al terminar cayó al suelo, exhausta, sudando y con la mirada extraviada. Leonora se asustó, no obstante, no osó interrumpirla; sabía que no debía hacerlo. Así que se limitó a ser una espectadora pasiva.

Al cabo de unos minutos, Candole mostró signos de haber vuelto a la realidad. Leonora se acercó y la ayudó a levantarse.

—La parca está ahí —susurró sobrecogida.

—¿Cómo dices?

—He luchado contra ella, pero nadie puede vencerla.

—¿Qué hacemos, Candole?

—Leonora...

—Lo primero es sacar ese vejestorio, ¿no?

—De nada valdría. Ella se aloja donde le place. No es el ropero.

—Entonces…

—Es una maldición y solo una persona puede romperla.

—¿Quién? ¿El patrón?

—No, don Genaro no puede hacer nada.

—¿Quién entonces, Candole?

—La señorita Claudia.

—¡Oh, por Dios! Y, ¿qué tiene que hacer?

—Ella lo sabrá cuando llegue el momento.

Se persignó y corrió despavorida. Leonora la siguió, más atribulada que antes. Los faroles del camino que daba a la entrada de la hacienda enfocaban la figura que, cubierta con un manto oscuro, parecía un fantasma en retirada.

Capítulo 56

$\mathcal{U}$n camión frigorífico se detuvo en la zona de carga. Con movimientos ágiles, dos empleados trasladaron cuatro bultos al vagón. Al terminar, se montaron y esperaron instrucciones. El encargado del área consultó el reloj e hizo una anotación en la libreta de registro. Todo fluía según planificado. Les hizo una seña con la mano en alto para que abandonaran el lugar.

El portero del casino presenció la escena. Entusiasmado, abrió el sobre que le entregó el encargado. La satisfacción inicial que le produjo el paquete de billetes se le borró cuando leyó las directrices escritas en una nota.

Capítulo 57

—¡Qué jodienda! —gritaba Fausto exasperado, porque no lograba la comunicación con el jefe.

El Boquilla estaba desasosegado por lo sucedido. Temía que hubieran sido emboscados por su falta de cuidado. Le preocupaba lo que pudiera pasar, pues temía que su socio desconfiara de él. Trataba de hallar el modo de subsanar el daño causado, mas no lo encontraba. El transmisor fue eliminado, se suponía que no tuvieran más contratiempos. Sin embargo, lo del taller lo tenía fastidiado. Le resultaba chocante el hecho de haber encontrado el celular encima de la mesa, como esperando a que lo vieran. *Ahora que lo pienso, el tipo del taller lucía descompuesto. ¿Quién puede asegurar que no hubo nadie más allí? La puerta del baño estaba entreabierta. Eso puede que sea un detalle tonto. A lo mejor Fausto la dejó abierta, o el dueño entró y no la cerró. ¡Carajo!* El trecho se le hacía interminable. *El túnel ese del que hablan, el que lleva al más allá, debe ser algo así.*

Desde el principio, Fausto tuvo la corazonada de que había algo que no cuadraba. *¡Qué bueno que le hice caso a mi intuición! El ruido que escuchamos, la ausencia del taxi, el portón abierto...*

—El dueño mencionó que fue a recoger algo que se le quedó. —La voz del Boquilla sacó a Fausto de sus cavilaciones—. ¿Qué podía ser tan urgente? —Hizo una pausa antes de proseguir—: Tenía las uñas sucias —dijo para sí.

—Boquilla, ¿me vas a decir que te fijaste en eso? —Fausto le cuestionó con escepticismo.

—Pues sí, no me preguntes por qué. Fue cuando me saludó.

—Y, ¿qué hay con eso? ¿Qué sugieres?

—Pasaba la medianoche, tenía la sudadera bañada en sudor y las uñas llenas de aceite de motor.

182

—Ok, continúa.

—Tú, en circunstancias normales, ¿cómo te preparas para recibir el año nuevo? ¿Te pondrías a mecanear?

—El cabrón está implicado, es un doble espía. —Fausto escupió las palabras con desprecio.

—Es lo que pienso.

—Tenemos a la mocosa, no se van a arriesgar a cometer una imprudencia que eche a perder los planes que tengan. Eso es evidente. Entonces…

—Tu carro, o el mío, o ambos, pueden haber sido trampeados —declaró el Boquilla, con gran convencimiento—. ¡Hijueputa!

Un trueno escandaloso marcó el inicio del aguacero que se precipitó con fuerza. Fausto elucubraba sin descanso. *El helicóptero debía aparecer en escena en Ponce, sin embargo, el Boquilla lo escuchó en la propiedad de la vieja, lo que es compatible con una fuga. Lo del celular fue, sin duda alguna, el mejor señuelo, y el dueño cayó. ¿Actuaba por su cuenta o lo habrán obligado? Se le notaba conmocionado y estaba sudoroso. El jefe aún recibe órdenes, pero, ¿y si cayó en desgracia? En ese caso, nosotros podríamos estar en turno. Si la cosa es como pinta, no nos van a dejar vivir para contarla, y tampoco a él. Tengo que ingeniármelas… ¡Cabrones!*

Capítulo 58

Los fiscales terminaron el examen y ordenaron el levantamiento de los cadáveres. Enseguida se desplazaron a una oficina y se dispusieron a hacer algunos interrogatorios. El primero en ser entrevistado fue el portero del casino.

—Cuéntenos lo que sabe.

—Bueno, yo... —titubeaba.

—Más alto, no se escucha.

—Yo vi a tres empleados.

—Siga.

—Entraron a un salón. —Se le notaba desencajado.

—¿Se siente bien?

—Sí, sí, claro. —El portero se metió las manos temblorosas en los bolsillos.

—Entonces, continúe. Diga lo que vio antes, durante y después del incendio.

—Vi a unos cuantos empleados en el salón donde estaban almacenados los colchones y los muebles.

—¿Los conoce?

—Sí —murmuró.

—Esta es su declaración. Escriba los nombres aquí y firme. Le aconsejo que se vaya a descansar. Lo llamaremos de nuevo.

Capítulo 59

El portón del orfanato estaba abierto. Fausto bajó con la niña en brazos y echó un vistazo a los alrededores: estaba oscuro y eso lo disgustaba. Por la puerta entornada se divisaba un poco de claridad. Entró y vio a una mujer vestida con un hábito marrón que se balanceaba con suavidad en una silla mecedora. La única luz provenía de una lámpara anticuada que cumplía su función desde una mesa en una esquina de la sala. Cuando divisó el botón amarillo en forma de estrella en la toca blanca, colocó a la huérfana en la butaca roja. Preparado para hacer uso de la pistola, procedió a confirmar la contraseña.

—Entrega de mueble nuevo.

La monja se puso de pie, fue hacia la butaca, observó a la criatura y contestó en un tono muy bajo.

—El averno lo agradece.

—Lo tengo por cierto —continuó Fausto, ceremonioso.

—¿Conoce al regidor?

—Hades.

—¿Y el círculo?

—Está por verse.

—Adiós. —Le obsequió una amplia sonrisa y un guiño.

Fausto procedió a retirarse sin darle la espalda. Algo en la religiosa y en el entorno le provocaba incomodidad.

Se alejaron con una sensación de zozobra.

—Una monja peculiar.

—Un disfraz, seguro.

—Lo más probable; nada es lo que parece.

—¿Y ahora?

—Voy a llamar al jefe. Creo que queda algo por completar.

Antes de que Fausto se ocupara en la llamada, Boquilla le entregó un papel con el dibujo del emblema que logró distinguir en el helicóptero. Fausto frunció el ceño. *¿Qué diablos está pasando aquí?* El logo era de una compañía privada distinta a la que contrataban en la Fábrica de Uniformes Sanfiorenzo.

Con las primeras luces del amanecer abandonaron el pueblo. Atrás quedaba la niña pelirroja. Ambos esperaban que, por fin, terminara aquella misión tan engorrosa. Iban pensativos, cada detalle tenía una importancia trascendental. El viento que entraba por las ventanas entreabiertas enfriaba el interior y levantaba del suelo unos cabellos rojizos que atestiguaban la barbarie.

Capítulo 60

—Misión cumplida, jefe.

—Te felicito. ¿Alguna novedad?

—Sí. Tormenta con efectos especiales. Alcanzamos a avistar un objeto volador no identificado.

—¿Se mojaron?

—Negativo.

—¿Y el paquete?

—Entregado según prescrito.

—Grandioso.

—Jefe, sugiero cambio de taller.

—Cancelaré el contrato *ipso facto*. ¿Algo más?

—Negativo.

—Me alegro. Continúa según previsto. Saluda al rey de la selva.

—Seguro.

Fausto retuvo el celular un instante antes de meterlo en el bolsillo. Su mente era una vorágine y en su estómago el hambre despertaba como una barahúnda. Bostezó. *¿Cuándo carajo irá a terminar esta fastidiosa misión?*

Capítulo 61

El Boquilla encendió un cigarrillo y, contrario a lo que era su costumbre, ubicó en la radio la estación donde tocaban música variada. En ese momento se escuchaba el "Villancico Yaucano". Fausto lo miró extrañado. Al ver que estaba muy atento a la canción, se movió a la parte trasera e hizo una llamada. Hablaba muy bajo y hacía anotaciones en el papel que le dio su socio. Al terminar, volvió al asiento delantero y ordenó:

—Toma la ruta más corta hacia el aeropuerto Mercedita. —Escudriñó el papel y lo volvió a guardar en el bolsillo.

—Creía que habíamos terminado por hoy —manifestó el Boquilla sorprendido.

—Aún no. Faltan unos detalles por atender.

Ante el gesto inquisitivo del Boquilla, Fausto respondió:

—Vamos por la mocosa.

—No entiendo. ¡Acabamos de dejarla! ¿Para qué la trajimos entonces? —inquirió contrariado el Boquilla.

—Esto se debe a un cambio de última hora. Tenemos que seguir instrucciones. Donde manda capitán…

—¿Qué vamos a hacer?

—Te lo diré más adelante. Por lo pronto, ella no sale del país; no todavía —sentenció Fausto, con tono arrogante.

Hicieron un paréntesis en la programación para presentar la noticia de la hora:

Son inminentes los arrestos de tres empleados sospechosos de haber causado el fuego en el Dupont Plaza. Ambos escuchaban atentos.

—Ni en las películas son tan veloces —manifestó Fausto sorprendido.

190

—Sí que es gente de cuidado —murmuró el Boquilla.

En cuanto a la pareja desaparecida, el locutor decía que la Policía tenía pistas que llevarían al esclarecimiento del caso en las próximas horas.

—¡Imposible! —gritó Fausto, enojado.

—No creo, no puede ser. —El Boquilla trataba de aparentar seguridad.

Se quitaron los uniformes al llegar a otro taller. El encargado se llevó la ambulancia y regresó en un autobús de excursiones. Le entregó a Fausto un bulto grande, que este registró con urgencia. Casi no podía contener la euforia que le producía el material incluido. El Boquilla, por su parte, tenía dudas, pero prefirió callar, convencido de que no era conveniente hacer preguntas. Se dispusieron a desayunar. A diferencia del socio, él comió con desgano. El pan le supo rancio, no le gustó el olor del jamón, la avena estaba dura y el café frío. *Empezar el año así... ¡Qué mierda!*

Capítulo 62

—Misión cumplida, Brother.

—Un éxito.

—¿Y la segunda fuente?

—Servida: pez estrella en su salsa.

—Excelente. ¿Santo y seña?

—Mediodía, en el lugar acostumbrado.

—¿Festín colectivo?

—Afirmativo.

—Perfecto.

—Se requiere atención especial, Genaro. Cuida los detalles. Ajusta los botones.

—Entendido.

Tiró el celular a los pies de la cama y se recostó. Chasqueó la lengua, hastiado. *No hay descanso ni en la madrugada de Año Nuevo. ¡Maldito Big Brother!*

Capítulo 63

$\mathcal{N}$adie pudo convencerlo de que se quedara en el hospital. Genaro se mantuvo firme, así que partieron temprano. La mayor parte del tiempo permaneció en silencio. Por ratos se le insinuaba una sonrisa débil, pero de súbito una sombra parecía atravesarlo y se le anegaban los ojos. Claudia le hablaba, en un intento por sacarlo del letargo. El esfuerzo era infructuoso; su padre estaba agotado y lucía como perdido.

En la hacienda esperaban los empleados, que los recibieron con abrazos, frutas para el patrón y flores para su hija. A Genaro le resultaba difícil mostrarse fuerte. Sabía que aquellas muestras de aprecio eran genuinas y eso lo conmovía. Agradeció la fortuna de contar con ellos, aunque echar de menos a los que ya no estarían más lo llenaba de rabia y de sentimientos de culpa. Buscó con la mirada y se sintió alarmado por la ausencia de aquel hombre de estatura baja y lealtad enorme, su mano derecha por los últimos veinte años.

—Leonora, ¿dónde está Ciprián?

—No lo sé. La última vez que lo vi fue ayer tarde. Terminó la llamada con la señorita Claudia y me informó que tenía que atender un asunto con urgencia.

¡Qué extraño! Claudia no me mencionó nada.

A pesar del cariño y los detalles de Leonora y los empleados del servicio doméstico y de la fábrica, la ausencia de su esposa le resultaba insufrible. Intentó comer los manjares que habían sido preparados con tanto esmero, pero no pudo. En otro momento hubiera engullido con agrado aquella sopa humeante de carne de res, que tenía un rico olor a sofrito casero hecho con pimientos, recao, ajíes, ajo, cebolla y cilantrillo del huerto casero que Mariana acostumbraba cultivar con dedicación. Ahora era distinto. Nada sabía igual. Se retiró de la mesa con pesadumbre.

En su cuarto, los colores azules que predominaban la decoración le recordaban los ojos que lo enamoraron en su juventud temprana y que amó tanto. Aspiró profundo el aroma que el viejo eucalipto le obsequiaba. Se quedó dormido pensando en su amada Mariana. Soñó que su esposa le extendía la mano, invitándolo a que la acompañara. Él deseaba ir hacia ella, mas su hija se interponía entre los dos. En el lado opuesto, su madre también lo invitaba a ir con ella. A lo lejos, las llamas lo consumían todo. De los vanos donde antes hubo ventanas salían en ráfagas cientos de botones negros, que no caían al suelo, sino que quedaban suspendidos, amenazantes frente a ellos. No podían escapar, por más que trataran; estaban pegados al suelo. Despertó acongojado, con un dolor en el pecho que lo hizo encogerse.

Capítulo 64

En el aeropuerto Mercedita se identificaron con el oficial de seguridad del área de los aviones privados y subieron a una avioneta que estaba lista para iniciar el vuelo. Fausto entró a la cabina del piloto con gesto triunfante. *El Big Brother sabe lo que hace y a quién le confía los asuntos más espinosos.* Media hora más tarde vieron por la ventanilla a la monja que se aproximaba con la pequeña, vestida con una camiseta blanca con rayas delgadas azules y el logo de los METS bordado en azul con borde anaranjado. En las mangas tenía tres rayas gruesas con los colores distintivos del uniforme del equipo campeón de la Serie Mundial. Una gorra negra con las letras NY entrelazadas le cubría el cabello. El Boquilla examinó el área a través de los binoculares, para cerciorarse de que nadie las seguía.

—Ahí vienen —anunció emocionado el Boquilla.

—Démosle la bienvenida —contestó Fausto y se encerró en la cabina.

Dentro de la avioneta la monja acomodó a la niña, y ya en su asiento empezó a buscar algo en la cartera.

—Yo que tú no lo haría —la sorprendió el Boquilla, que había estado agazapado detrás del asiento.

—¡Las manos arriba, hermanita! —le ordenó Fausto—. ¿O debo llamarla madre superiora?

La mujer levantó los brazos. Su rostro reflejaba incredulidad.

—No es correcto que una monja porte armas. —El Boquilla sacó una pistola de la cartera de la monja.

—Yo sigo órdenes y me figuro que ustedes también. Lo que no entiendo es esto. ¿Qué se supone que sigue? ¿Qué quieres que haga? —La monja se dirigía a Fausto.

—Nada, no quiero que hagas nada.

Fausto le arrancó el velo de un tirón y se sorprendió al ver que, contrario a la primera impresión que tuvo de ella, vista así de cerca era muy atractiva. *Aunque no es una jovencita, le queda algo de encanto. Esos ojos ambarinos, los labios carnosos y esa piel canela que invita a que la prueben... Me hubiera gustado divertirme contigo, lástima que no hay tiempo para eso ahora.* Deslizó los dedos por la larga cabellera riza y se detuvo en la nuca. Allí oprimió el centro de un botón negro. Ella intentó zafarse, pero el Boquilla la tenía agarrada por el cabello. La dejaron caer en el asiento. La visión era grotesca: se le fueron congelando las facciones pues el veneno era de acción superrápida. La parálisis y el arresto cardio-respiratorio sobrevenían en pocos minutos. Se apartaron, aliviados, cuando dejó de respirar. Procedieron a quitarle el cinturón de seguridad a la pequeña, que se mantenía sin mostrar reacción alguna.

El Boquilla confirmó que todo estaba despejado y dio el aviso para bajar de la avioneta. El oficial de seguridad los esperaba abajo. Fausto le entregó un sobre con la paga por sus servicios y este los llevó en el carro de carga de equipaje hasta el estacionamiento.

—Hoy tu esposa recogerá a tu hijo más temprano que de costumbre para llevarlo al dentista, ¿no es así? —Fausto le habló al oído—. No, no. Hoy no, el lunes.

El oficial tensó la mandíbula y las fosas nasales se expandieron y contrajeron en una respuesta nerviosa.

—Asegúrate de que no nos sigan —le advirtió Fausto en tono amenazante.

—Pierda cuidado —respondió el oficial.

Se fueron a toda prisa. La niña cayó en un sueño profundo. El Boquilla le pasó a su compañero la cartera de la monja y Fausto examinó el contenido; había pocas cosas además de la pistola: dos pasaportes norteamericanos, uno de ella y el otro de la pelirroja, un lápiz labial y un pedazo de papel en blanco. Lo puso contra la luz y reconoció el emblema de la Fábrica de Botones. Guardó el arma y los demás objetos en el bulto y lo colocó debajo del asiento, después de lanzar la cartera por la ventana. Entrecerró los ojos. El gesto amenazante le duró un largo rato.

Capítulo 65

$\mathscr{C}$laudia intentó tomar una siesta, pero el sueño y el descanso se le negaban. Por más que intentaba dejar de pensar, los recuerdos de los últimos días le llegaban atropellados: el fuego que se expandía y el calor abrasador que impedía cualquier intento de rescate. La onda expansiva de la explosión ensordecedora la derribó cuando corría hacia la escalera. En un tris todo se convirtió en un infierno. Un empleado la ayudó a ponerse a salvo y no pudo intentar subir hacia donde estaba su madre. Revivir la tragedia una y otra vez era una tortura. Miró el plato con la merienda que le dejó Leonora; no tenía deseos de comer nada. Estaba afligida. Se levantó y fue hasta la habitación de la abuela. Dentro, se sintió mareada y tuvo que apoyarse en la pared; el olor a narcisos la transportó de regreso a la niñez. *Cuánto daría por volver a colgarme de tu cuello tibio, abuela, y llevarme tu perfume en las mejillas. ¡Qué no diera por volver a abrazarte!* Se deslizó hasta caer sentada en el suelo y a través de las lágrimas copiosas miró con nostalgia la cama alta de cedro, vejada por los barandales de seguridad. Era una obra de arte exquisita, labrada con rosas en relieve en los pilares y en la cabecera. El edredón majestuoso que cubría la cama era rojo carmesí, al igual que los hermosos cortinajes de seda de Damasco, de los que sobresalían unas hojas alargadas delineadas por hilos dorados que irradiaban destellos. Se levantó de un salto y las descorrió. Detestaba la sensación de vacío que se iba adueñando de los espacios amados. Apartó, con cuidado, el visillo de encajes para que la luz, cálida a esas horas, espantara la oscuridad. Como si intentara insuflar vida a los objetos inanimados, pasó los dedos por los muebles. Los tonos marfil del armario se le revelaban como el color de la pesadumbre. Cerró los ojos y deseó que al abrirlos todo hubiera vuelto a la normalidad, que hubiese terminado la pesadilla. Pero no, lo que tenía de frente era la realidad: su abuela no estaría más y ella sentía que, después de las pérdidas tan grandes, también había muerto un poco. *Cómo duele el aposento vacío de la reina; porque eso fuiste, abuela: una reina.* Lamentó haberse distanciado de ella. En los años subsiguientes no pudo acercarse debido al avance de la enfermedad que le robó la razón. Se le escapó un gemido.

Buscó en la gaveta central de la cómoda la llave del ropero. Estaba convencida de que debía hacerlo. Sacó el joyero que contenía la colección de botones. Lloró. Le tomó tiempo serenarse. Volvió al alféizar con la esperanza de que el paisaje le calmara el ánimo, mas la vista del edificio renegrido la angustió más. Se llevó la mano al pecho y le dio la espalda a aquella imagen que contaba por sí sola toda la devastación de su mundo.

Volvió al joyero. Tuvo la impresión de que alguien estuvo hurgando allí y no tuvo el cuidado de volver a poner todo en su sitio. Ella conocía al dedillo cómo estaba dispuesto el contenido: los botones estaban organizados por orden de antigüedad en cada gaveta. Se dio cuenta de que faltaban algunos y le perturbó encontrar en el lugar acostumbrado el que le infundía un temor indescriptible.

Se asomó a la ventana y vio a su padre que se dirigía al Jeep estacionado en el redondel. Aquel paso lastimoso la consternó. El ser debilitado que estaba viendo no se parecía, ni remotamente, al hombre enérgico y vivaracho que antes sobresalía entre todos. No se pudo controlar más y, sobre la cama imperial que tantas veces acogió su inocencia, lloró sin consuelo hasta que el sueño la venció.

Capítulo 66

$\mathcal{Ll}$egaron a un taller situado a las afueras del pueblo. Fausto se encaminó hacia la oficina y al rato salió con una mujer que llevaba puesto un uniforme militar. Luego de un reconocimiento para verificar la condición de la niña, la fémina le hizo señas para que se acercara a su compañero de misión, que vigilaba a poca distancia. Se llevaron a la pequeña y se marcharon con mucha prisa en un auto con matrícula del Gobierno federal.

El Boquilla hizo unas anotaciones en un papel que sacó del bolsillo del pantalón y lo volvió a guardar, mientras Fausto hacía algunas llamadas. Regresó al autobús y se quitó el uniforme de piloto, recogió sus cosas y le pidió al socio que hiciera lo mismo. Se pusieron en marcha en un viejo BMW negro, con unos toques de pintura gris en el bonete que evidenciaban una reparación a medio terminar.

—¿Y esos? —preguntó el Boquilla.

—Los militares quedan a cargo de aquí en adelante —respondió algo distraído mientras registraba el interior del bolso.

—¿Militares de verdad?

—Vaya usted a saber —respondió Fausto, sin darle importancia al asunto.

—Irán a sacar del país a la colorá en un tanque de guerra —insinuó el Boquilla.

—Es posible —fue la respuesta seca que obtuvo.

El Boquilla no preguntó más. Al hombre que se llevó a la chiquita lo había visto en el garaje de León. Trabajaba en el motor de un vehículo con matrícula del Gobierno estatal. *Una operación complicada.* La voz de Fausto lo sacó de su estado reflexivo.

204

—Hay un detalle que falta por afinar —advirtió Fausto.

—Tú dirás.

—Detente en aquel negocio —urgió, señalando un local con cortinas de lona de un rojo desteñido por el sol candente del trópico.

El Boquilla murmuró algo que su socio no entendió.

—¿Y a ti qué te pasa, eh?

—Nada, no me pasa nada.

—A mí no me engañas, te pasa algo —insistió Fausto.

—Llevo muchas horas sin dormir, debe ser eso —respondió el Boquilla.

—Eso se quita con una cerveza. ¿Te parece?

—Gran idea, ya lo creo que sí. —El Boquilla trató de simular algún entusiasmo.

Se detuvieron en un merendero.

—¿De quién se trata ahora? —cuestionó el Boquilla.

—Del testigo estrella en el caso contra el hotel.

—Creí que todos estaban liquidados.

—Aún queda uno, y da la casualidad de que es el más valioso.

—Y ¿están seguros de que es el único testigo que queda vivo?

—Al parecer, sí.

—Debe andar con escolta.

—Imagino que sí, en cuyo caso se joderán con él. *C'est la vie!*

—Claro.

—Este es un caso apremiante. Ese tipo no puede testificar. Por eso es que vamos a enjuiciarlo hoy.

El Boquilla estacionó el auto. Fausto sacó un estuche del bolso. Dentro tenía un artefacto explosivo sujeto a un imán grueso. Lo puso en el bolsillo derecho de la chaqueta azul de mezclilla. Bajó y entró al merendero. Compró una cerveza y se sentó próximo a la entrada. Comenzaban a llegar más clientes.

Los minutos se hacían insufribles. El Boquilla estaba desesperado. Volteó hacia el asiento trasero y sintió deseos de husmear, pero no se atrevía. Además de la agitación en la voz, Fausto tenía un tono nebuloso al hablar que le resultaba alarmante. Lo divisó desde el auto. *¿Quién pudiera imaginar que ese sujeto que luce como un tipo común y corriente, con espejuelos gruesos y peluca negra rizada, es un matón a sueldo?... ¿Hasta dónde irá a llegar esta misión? ¿Qué va a pasar con la colorá?* El Boquilla tenía muchas interrogantes. Decidió mantenerse callado porque reconoció que perdía su tiempo intentando buscar explicaciones de un asunto que no estaba en sus manos. La inquietud lo dominaba y el bolso del socio le significaba una gran tentación. Lo acercó y abrió el cierre; había municiones para rifle y pistola. Supuso que lo del estuche negro era un detonador.

Iba a cerrar cuando algo en un compartimiento interno le llamó la atención. Lo sacó y estudió con detenimiento. Era un celular que le resultaba conocido. Lo prendió y su sobrecogimiento no pudo ser mayor: era el suyo. Lo apagó y volvió a poner en el mismo sitio. Se sintió azorado. Un sudor frío le recorrió el cuerpo. Rememoró la operación. No podían quejarse de él; hizo lo que se le exigió. Se esforzó en hacer bien su parte y lo traicionaron. *¿Por qué?* Las palabras que le escuchó a Fausto parecían darle la respuesta: el jefe quería un trabajo limpio.

Media hora más tarde, llegó un Corvette rojo con cristales oscuros. Bajaron tres hombres con facha de mafiosos de película e irrumpieron en el merendero. El conductor se dirigió al mostrador, ordenó y fue apresurado al baño, que estaba localizado fuera del establecimiento. Los otros dos se ubicaron en una mesa distante. Fausto compró otra cerveza y salió con paso lento. Al pasar frente al deportivo de los nuevos comensales, simuló un traspié y le colocó el artefacto explosivo debajo del motor. Se incorporó, con la misma parsimonia, se sacudió el polvo de los pantalones y prosiguió la marcha.

—Vámonos con nuestra música a otra parte. Yo invito el almuerzo —le anunció al Boquilla, al tiempo que le entregaba la lata.

—¿Y tus testigos?

—Querrás decir los difuntos. Detente en ese. —Señaló una fonda al otro lado de la avenida.

Apuraron las bebidas y se mantuvieron en alerta hasta que vieron el auto de los testigos que salía del lugar con premura. Fausto sacó el detonador y lo levantó con solemnidad.

—¡Esto va por el Big Brother y la Fábrica de Botones! —exclamó emocionado y oprimió un botón.

Al estruendo de la explosión la mayoría de los clientes abandonaron el local, unos para montarse en sus vehículos y otros, muy curiosos, enfilaron hacia el área del estallido.

—Oye, eso sí que estuvo fuerte —reaccionó el Boquilla.

—A testificar para las pailas del infierno. Eso les pasa a los soplones —exclamó un exacerbado Fausto.

—¡Muerte al chota! —gritó el Boquilla—. Oye, a lo mejor había otros carros alrededor.

—Pues se jodieron. Nada que hacer con eso, mi amigo —respondió Fausto, impasible.

—¿Tú estás seguro de que uno de esos era el testigo?

—En realidad no sé quién es el tipo.

—¿Y si no era él?

—No jodas, chico. Si el tipo no iba en ese auto, supongo que me reiterarán la encomienda de atrapar al cabrón dondequiera que esté.

Encendió un cigarrillo y dio por concluido el tema.

—Oye, qué lástima con el Corvette, tan chulo que estaba.

Capítulo 67

Genaro esperó a que todos volvieran a sus ocupaciones. No quería que fueran a intentar disuadirlo. Consciente de su debilidad física, tomó uno de los llaveros y se montó en el Jeep. A medida que se acercaba a aquel tramo bordeado de pinos, por el que le gustaba hacer sus caminatas antes de la tragedia, lo iba invadiendo la desesperanza. De pronto se le presentaba como un sendero irreconocible que conducía hacia lo incierto.

Se detuvo frente al edificio e hizo una inhalación profunda. Había transcurrido poco más de una semana, mas era como si el tiempo se hubiera detenido, y allí, en medio de aquellas ruinas, revivía el infortunio. La sensación de impotencia le revolvía la ira. Entró con paso tambaleante, pero resuelto.

El olor a quemado impregnaba todo. Subió las escaleras sorteando escombros, y se detuvo en seco ante la enorme destrucción. Las mesas estaban reducidas a penosos fragmentos amorfos; las máquinas de coser, inservibles. Las de pegar botones, aunque sucias, presentaban daños mínimos. Deslizó los dedos por la superficie. Ambas estaban hechas de baquelita, un material resistente a altas temperaturas. *El Big Brother se anticipa al futuro.*

Recordó el día que firmó el contrato para la confección de uniformes militares. Desde ese fatídico convenio, la Fábrica de Botones comenzó a enviar el material con instrucciones precisas para su colocación. Después fue añadiendo otras tareas y, así, extendió sus tentáculos y se apoderó de su vida y la de los seres que amaba. Quería matar al Big Brother, pero tenía que controlarse; ni siquiera sabía por dónde empezar a buscarlo.

210

Abrió la gaveta de la primera máquina. No esperaba encontrar nada porque todas las órdenes se despacharon la mañana de la tragedia. Experimentó una fuerte sacudida al ver un botón forrado y unas pinzas. Lo desmontó y reconoció la letra de Ciprián en la tela. Tuvo que recostarse de la pared para no caerse. Guardó el retazo rojo en el bolsillo de la camisa gris a cuadros, regalo de su esposa en algún aniversario. Aturdido, miró hacia el comedor. Fue allí donde encontraron a su esposa. No tuvo valor para acercarse. Se quedó inmóvil, cabizbajo, tratando de articular un pensamiento coherente, mas su cerebro no reaccionaba.

Descendió las escaleras con pesadez e hizo acopio de valor y llegó a su oficina. De inmediato se arrepintió: lo que tenía ante sí parecía un campo de batalla. Se movió a la de Ciprián, que estaba igual de arrasada. No supo identificar por qué, de súbito, le pareció que había algo raro allí. No obstante, no se sintió con fuerzas para continuar con la inspección. Salió más apesadumbrado que antes. El regreso a la casa se le hizo interminable; se sentía perdido y la certeza de que nadie podía ayudarlo a recobrar el rumbo aumentaba su desolación. A la orilla del camino las hojas formaban pequeños remolinos a ras del suelo, movidas por un viento triste cargado de presagios sombríos.

Capítulo 68

Noticia acabada de recibir: una masacre ocurrida en un sector de Santurce deja el saldo de varios muertos. Efectivos de la uniformada se encuentran en el área. Se desconoce la identidad de los occisos.

El Boquilla sintió un sobresalto porque pensó que podía tratarse de su barrio. Miró de reojo a Fausto. Pudo percibirle la sonrisa perversa y el gesto intimidante que precedía a la ejecución de las fechorías más crueles.

—¿Qué habrá pasado?

—Lo más probable es que se trate de una escaramuza de las de siempre. Son frecuentes en esos sitios, ¿o me equivoco? —respondió, indolente. *Favor que le hacen al país al eliminarlos. ¡Caterva de atorrantes de poca monta!*

El Boquilla estaba preocupado por el Negrito, y no podía comunicarse con el Killer Joe para saber de él. Recordó el celular en el bolso de Fausto. Le daba rabia no poder enfrentarlo, sabía que no le iba a servir de nada; al contrario, adelantaría su muerte. Ni siquiera contaba con un arma porque se le había quedado debajo del asiento de la ambulancia. Estaba seguro de que iba a morir. *¿Cuándo será?* Intuía que pronto, y conocía bien al socio; llegado el momento no le iba a temblar el pulso.

Capítulo 69

$\mathscr{G}$enaro fue a su cuarto. Buscó el paquete que recibió el día del incendio y releyó la carta de Big Brother, que incluía un sistema de claves y códigos para comunicarse vía telefónica; acostumbraba hacer cambios con frecuencia. El croquis del nuevo edificio, en el que se destinaba el sótano como el área ultrasecreta donde ubicarían los cuarteles generales de la Fábrica de Botones, le revolvió la cólera contenida. Releyó la misiva. Su madre fue la primera presa, le siguió él. Todo estaba calculado de antemano: ellos eran los peones en el tablero de una entidad cuyo poder era aplastante. Se le alteraba el ánimo al pensar en lo que pasaría cuando él no les sirviera más. El trozo de tela roja tenía escrito el nombre de Claudia.

Se sentó al piano. Acomodó la partitura y comenzó a tocar. Se detuvo, respiró hondo y volvió a intentar varias veces. No pudo ejecutar la pieza. Claudia, que se había encerrado en su cuarto, al escuchar las primeras notas bajó la escalera y se detuvo a la mitad. Se sentó en un escalón desde donde podía observar a su padre. Intuyó que sufría cada vez que intentaba el *Claro de Luna* de Beethoven, por eso no le era posible continuar. *Es la música más triste del mundo.* Luchó contra el deseo de ir a abrazarlo, pero se contuvo. Estaba consciente de que él necesitaba espacio para asimilar la nueva realidad. Regresó a su habitación sin hacer ruido. Tras el último intento fallido de su padre, la casa volvió a sumirse en el silencio.

Capítulo 70

—*Y* ¿qué es lo que investigaban?

—Lavado de dinero, y supongo que algunas cosillas más. Los hoteles son una olla de grillos.

—Quién diría —murmuró el Boquilla.

—Oye, ¿se te pasó lo que tenías? —Fausto cambió la conversación con tono cortante.

—Después de esta acción, claro que sí. —La risa fluía salpicada de humo.

En la radio comentaban el suceso del helicóptero estrellado en horas de la madrugada:

Aún no se tienen detalles del accidente. Se presume que la poca visibilidad en el área pudo haber sido un factor determinante.

—Eso del helicóptero fue una cosa ilógica. ¿Por qué nos estaban siguiendo en ese aparato, si le habían puesto un transmisor a mi celular? Hubieran podido seguirnos en un carro y no nos íbamos a dar cuenta. ¿Tú no crees?

Fausto tomó una larga bocanada de humo.

—Tienes razón, Boquilla. El mundo está lleno de gente bruta. De que los hay, los hay.

—Si el dueño del taller vio el celular allí, ¿por qué no te llamó?

—No sé, no soy adivino.

—Y ¿por qué nos hacen llevar a la chiquitina al orfanato primero para tener que buscarla en el aeropuerto y entregarla a otras personas?

—Ya te dije, donde manda capitán...

—En verdad que yo no entiendo tanta maroma —murmuró el Boquilla.

216

—Despreocúpate, amigo. Sigamos las directrices y no nos compliquemos la vida —sentenció Fausto—. Ahora de regreso, terminamos por hoy.

—¡Coño!, ya estaba creyendo que nunca oiría esas palabras.

El Boquilla reunió valor para hacerle la pregunta definitiva al socio:

—¿Guardaste un botón negro para mí? —le preguntó, casi en un susurro.

—¿Qué? —Fausto dio un respingo.

—Lo que oíste.

—¿Estuviste fumando pasto, cabrón?

El Boquilla no respondió. Fausto se enderezó en el asiento y expresó, tajante:

—No seas pendejo, chico, no estoy para bromas.

Capítulo 71

—Estoy preocupado por Ciprián. ¿Sabes algo de él, hija?

—No, ¿por qué? —contestó, con un ligero temblor en su voz.

—Al parecer fuiste la última que habló con él.

—¿Yo?

—Eso me dijo Leonora.

—Ah, sí. Es que Antonio quería comunicarse con él.

—¿Y qué quería Antonio?

—Me pidió que le diera su número telefónico para llamarlo en caso de que surgiera algo urgente.

De regreso en su cuarto, Genaro se sentó en la cama, atormentado. Lamentaba la ausencia de su asistente. No estuvo allí para recibirlo y no se había comunicado; temía lo peor. *Si Antonio necesitaba contactar a Ciprián, ¿por qué no me lo dijo?* Era un contrasentido. Conocía, sin embargo, quién estaba detrás de todo. *Una mano tenebrosa, acostumbrada a manipular los hilos de la trama que teje a su antojo y sin piedad...*

Capítulo 72

*C*laudia levantó la tapa de la cajita de música que su madre le regaló al cumplir siete años, en un intento por relajarse con la melodía tierna de su infancia. Se concentró en las cortinas verdes de lino. *El color de la esperanza. A mí no me queda ninguna.*

No encontraba paz en ninguna parte. Cuando su padre salía, ella entraba a su alcoba y buscaba en la ropa el olor distintivo del perfume floral que su madre siempre llevaba puesto. Solo lograba recrudecer su duelo.

Se levantó y fue al cuarto de Leonora. La encontró sentada en la mecedora. Con un camisón de dormir rosa mate, parecía una pieza más del decorado. La mujer le daba los toques finales a un tejido. Al ver a la joven, se levantó y la abrazó con ternura.

—Señorita Claudia, venga, siéntese.

—Gracias, Leonora. —El cabello encanecido le causó un leve pesar.

El tiempo no pasa en balde, pensó entristecida.

—Dígame qué puedo hacer por usted.

—Has hecho más que suficiente, Leonora. Gracias.

—¿Quiere que le traiga un vaso de leche y unas galletitas?

—Está bien, gracias.

—Vuelvo enseguida.

Claudia se puso a husmear en la mesa de noche. Encima había una lámpara y un libro. Las gavetas estaban llenas de papeles. Volvió a cerrarlas y se sentó en la cama. Se estuvo meciendo, atontada, hasta que Leonora regresó.

—Aquí tiene, mi niña. —La voz del ama de llaves la sacó de concentración.

—Gracias, Leonora. ¿Has sabido algo de Ciprián?

—No, no se ha comunicado. Estoy asustada.

—¿Mencionó a dónde iba?

—No, no me dijo nada. Después de que habló con usted, se marchó. Lo noté impaciente.

—¿Se fue solo?

—De aquí sí.

—¿Te volvió a llamar?

—No, y él no acostumbra ausentarse sin justificación. Don Genaro radicó una querella en el cuartel para notificar la desaparición. Tengo miedo de que le haya pasado algo malo.

—Ojalá que no —murmuró Claudia.

—Sí, ya es demasiado.

Claudia la interrumpió para señalar el tejido que estaba trabajando Leonora. Era un chal blanco muy hermoso. Aquella mujer sabía hacer verdaderas obras de arte.

—¿Y esa belleza?

—Lo comencé a tejer el mes pasado. Quería regalárselo a doña Mariana. —Se esforzaba por contener la emoción—.

Los puntos de flor de jazmín son tan delicados, que me parecieron los más adecuados.

—Es hermoso, Leonora. Parecen estrellas. La podemos despedir con él, ¿te parece?

—Claro que sí —susurró.

—¿Y para la abuela?

—Tengo otro. —Sacó un chal rosado del guardarropa y se lo mostró.

—De su color preferido. No se te pasa una.

—Ha sido una vida aquí, querida. A su abuelita le encantaban los diseños en flor de anís. Decía que parecían tréboles de cuatro hojas. Lástima que ya no podía apreciarlos.

—Hasta el botón es hermoso. ¿Dónde lo conseguiste?

Claudia le percibió un ligero temblor en las manos. El botón tenía la forma de una rosa en un tono más subido que el del chal. Era uno de los que faltaba en la colección de la abuela.

—Ciprián me lo trajo de San Juan —contestó en un murmullo.

—El buen Ciprián, tan diligente.

—Así es. —Leonora suspiró—. Dígame, ¿cuándo comenzamos las clases de tejido? Usted me dijo que quería aprender. Le sugiero que lo intente. Es una magnífica terapia de relajamiento.

—Uno de estos días te voy a sorprender. No puede haber una maestra mejor. Tienes manos de ángel.

—¡Gracias, mi niña!

Leonora le mostró la canasta con rollos de hilo de lana en varios colores, patrones y algunas piezas a medio terminar. Conversaron un rato más y se despidieron con un abrazo que revelaba el cariño inmenso que se tenían. Leonora retomó su labor, mientras que Claudia decidió dar un paseo por los jardines de su madre. Quería espantar el terror creciente que le robaba la paz: un presentimiento aciago, una especie de vértigo, el espanto que sacude el ánimo de quien se asoma al borde de un precipicio.

Capítulo 73

$\mathscr{S}$e detuvieron a tomar unas cervezas en una tasca en Caguas. Bebieron sin cruzar palabras. Fausto insistió en conducir el tramo que restaba. El Boquilla cerró los ojos, no por sueño, sino para que el socio no lo sacara de concentración. Pensó en el Negrito y en la gente del barrio y sus miserias. Se sintió apenado por ellos y por primera vez, desde que dejó de ser un niño, quiso acordarse de la oración que le enseñó su mamá. *Padre nuestro...* Un frenazo repentino lo impulsó hacia delante y por poco lo hace romper el cristal. Pasado el susto, intentó retomar la oración.

El celular de Fausto sonó. Miró la pantalla y un profundo entusiasmo le iluminó el rostro.

—Mande.

—No he podido escuchar las noticias. ¿Qué está pasando en el mundo?

—La fumigación en el monte concluyó y cubrimos el patio de la tía Mercedita, sin olvidar las áreas adyacentes. Con esto acabamos con las plagas.

—Perfecto. Toca el turno a la ruralía.

—Magnífico.

—Para la nueva edificación necesito muebles prácticos. Han de ser desechables. Iniciamos en febrero.

—Entendido.

—Nos mantenemos en comunicación, compañero *A number one*.

Una mueca de satisfacción le ensanchó los labios. Le gustaba el seudónimo. Una cosa era ser Fausto para el jefe y otra ser *A number one* para el Big Brother.

Miró a su compinche, le echó una bocanada de humo en la cara y comenzó su alocución.

—Lo que ocurre, Boquilla, es que mi jefe ha sufrido un revés. Él no lo sabe aún; bueno, supongo que se lo imagina. El caso es que el Big Brother, que ya no confía en él, me dio la encomienda de entregarle la pelirroja a los militares. A tu pregunta de para qué querrán a la mocosa, pues yo pienso que quizás sea un regalito para algún personaje ilustre. Esas son conjeturas mías, claro, y no pienso indagar. —Hizo una pausa y prosiguió—: Este es un asunto complicado y el nuevo jefe no quiere que deje huellas. Por eso en tu barrio ya liquidaron al Killer Joe, a Canelo y su mami drogadicta, al Checa y su hijo anormal, y al Negrito ese, tu protegido, si no han dado con él, ya lo harán. Lo hubieras dejado en la cuneta, pero no, quisiste salvarlo, así que tienes la culpa de lo que le pase, ¿eh? Todo el que estuvo relacionado contigo en el transcurso de esta misión se fue a juste. En realidad, no hay nada que lamentar; esa gente no tenía futuro. Lo siento por ti. Como te dije, mi amigo: donde manda capitán…

Aspiró la última bocanada, tiró el cigarrillo por la ventanilla y prosiguió:

—Lo de tirarle una carnada al dueño del taller para probarlo se le ocurrió al Big Brother. ¿Sabes qué? Cayó redondito. El tipo era un confidente. ¿De quién? Pronto lo sabremos. No le sirvió de nada porque el transmisor que puso estaba bloqueado. A estas horas debe estarse mirando los dedos gordos de los pies. Lo de tu celular fue idea mía. Quería probarte. En esta operación tan monumental no se pueden tener infiltrados. No te diste cuenta cuando tropezamos y te lo quité. Robar es fácil si se conocen las técnicas. —Rio de buen grado—. ¡Qué lamentable tu suerte! Ya comprobé que estabas limpio, sin embargo, no me podía arriesgar a que llegaran a ti.

Encendió otro cigarrillo y prosiguió.

—Lo del helicóptero te pareció inverosímil. Vaya que sí, pero eso fue lo más creativo que se me ocurrió para traer hasta mí al alcahuete de Ciprián. Ese enano calvo… Seguro que era devoto de san Michael Jordan. Tú también, supongo. —Forzó una carcajada—. Sabía más de lo que debía. Eso siempre es un problema. Lo que no entiendo es lo del helicóptero en la finca. Nadie más conocía de esa localidad, con excepción del jefe. Si no lo envió él, entonces, ¿quién pudo ser? A menos que te hayas equivocado, o que te hayas fumado un pitillo y estuvieses alucinando, pendejo.

El Boquilla no escuchaba. Su piel muerta desde que se quemó, no se enteró del pinchazo del botón negro cuando el frenazo lo arrojó hacia delante y el socio completó la encomienda de blanquear al terminar la misión.

Fausto dejó el expreso y se adentró por un camino rural. Se detuvo al borde de un risco en un paraje despoblado y le puso el silenciador a la pistola.

—Si te consultara, ¿qué me dirías? Sí, sí, que debe parecer una ejecución tipo mafia. Estoy de acuerdo…

Bajó del auto después de cerciorarse de que no había nadie cerca. Sacó el cuerpo del Boquilla y lo arrojó por una hondonada. Le descargó cinco tiros y el sexto en medio de la frente. *¡Tiro de gracia!*

De vuelta al expreso, llamó a Reina, la Madama, y le encargó dos Lolitas. Ella conocía las especificaciones. Fumó con deleite, anticipando el placer que le esperaba. La imagen de la hija del jefe vino a su mente. Los besos furtivos en el almacén ya le colmaban la paciencia. Moría de ganas por estrenarla. *Quiero ese regalito de dieciocho primaveras. Una virgen de verdad, no como las putitas menores, que, aunque primerizas para la penetración, han corrido de la ceca a la meca.* Se pasó la lengua por los labios. *Ya casi es tu turno, preciosa. Yo voy a ayudarte a resolver ese problemita que tienes entre las piernas, mi botoncito de rosa.*

Capítulo 74

A media mañana partieron para la iglesia. Casi todo el pueblo los acompañó en el funeral de su madre y su esposa. El padre Joaquín ofició la misa. A pesar de que Genaro parecía atento, no estaba allí. Su cerebro era un hervidero de asuntos inconclusos. Claudia, por su parte, lucía desolada. Ambos estaban muy abatidos.

En la capilla del cementerio, los empleados le hicieron guardia de honor a las difuntas. Genaro despidió el duelo con un mensaje corto. Hizo un recuento de la vida de su madre y cómo se convirtió en una empresaria exitosa a cargo de la Fábrica de Uniformes Sanfiorenzo y el ejemplo de superación que le dejó. De su esposa contó cómo se enamoró de ella desde que la vio en la escuela intermedia y de la felicidad que compartieron por tantos años. El dolor, emocional y físico, apenas le permitió expresarse como hubiera querido. Se sentía acabado: una ruina viviente que arrastraba sus miserias ante el mundo. Al terminar la ceremonia salió apoyado en el brazo de su hija. De camino al automóvil, hizo algunas pausas para tomar aire y mirar en todas las direcciones. Era un esfuerzo vano. Ciprián era el gran ausente y nadie conocía su paradero. No podía dejar de preocuparse porque él nunca faltaba a sus compromisos.

Leonora se mantuvo pendiente de cada detalle, sin perder la compostura por nada. Era la persona más idónea para hacerse cargo de aquella penosa situación. Para su satisfacción, Antonio llegó temprano y se mantuvo al lado del jefe y de su hija.

Genaro echó de menos al senador de distrito. Leonora le contó que falleció de un ataque al corazón y que lo enterraron unos días después del incendio. El timbre del celular los interrumpió. Buscó un sitio retirado para contestar la llamada. Ella no lo perdió de vista. Sintió temor de que fuera a morirse allí, por lo decaído que se veía, y se mantuvo pendiente hasta que terminó. Suspiró aliviada cuando lo vio marcharse en el auto con Claudia y Antonio.

Al anochecer recibieron la noticia del accidente del helicóptero en el Sur. Los dos tripulantes fueron identificados: uno era Ciprián y el otro uno de los pilotos más experimentados de la Isla. Incrédulos e incapaces de emitir palabra alguna, estallaron en llanto.

Genaro no podía resignarse ante la pérdida de su asistente, quien, más que un empleado leal, fue su amigo, confidente y compañero en las alegrías y en las penas. Estaba anonadado. ¿Qué era lo que sabía? No le había dicho nada que lo pusiera sobre aviso. Lo único que tenía hasta ese momento era la nota en el botón forrado y la sensación inexplicable al pasar por su oficina. Decidió que tenía que volver para hacer un rastreo.

Capítulo 75

Claudia estaba feliz de tener, por fin, una cita formal con Antonio. Lo sentía como un oasis dentro de aquel caos en que se había convertido su vida en las últimas semanas. Sin embargo, tenía sentimientos encontrados.

—¿Qué pasó con Ciprián?

—¿A qué te refieres?

—Lo mandaste a llamar, y ahora resulta que está muerto.

—Tuvieron un accidente.

—Y ¿cuál era la urgencia para que tuviera que viajar en helicóptero?

—Una orden de uniformes llegó incompleta y el cliente estaba disgustado. —Se iba aproximando mientras le hablaba con suavidad—. Sabes cómo era de obsequioso. —Le tomó las manos y se las besó.

Se sintió mareada. La cercanía de Antonio siempre le causaba aquel efecto. Él la atrajo y la abrazó. Comenzó a acariciarle los cabellos, las orejas, el cuello. Besó sus labios que esperaban y correspondieron mansos. Claudia, excitada y sin fuerzas para detenerlo, se dejaba llevar. Una ráfaga inoportuna que entró por la ventana la asustó y al darse cuenta de lo lejos que estaba llegando quiso marcharse, pero estaba aletargada y no pudo oponer resistencia cuando él la guio hasta el dormitorio y cerró la puerta.

Capítulo 76

$\mathcal{G}$enaro regresó a la fábrica para inspeccionar la oficina de su asistente. Volvió a tener la sensación de que algo inusual ocurría. Revisó con detenimiento en busca de algún vestigio que arrojara luz. Decidido a rendirse se dispuso a salir, entonces se percató de que la cerradura de la puerta estaba limpia. ¿Cómo era posible que hubiera algo limpio entre aquellos escombros? *Parece una burla.* Él ordenó que no se le permitiera la entrada a nadie. Era evidente que alguien hizo caso omiso. *¿Por qué y para qué?* Además de Criprián, la otra persona que tenía llaves era Antonio y cuando conversaron no hizo mención de nada que hubiera despertado en él alguna curiosidad. Él mismo no alcanzaba a divisar nada que delatara la presencia de un visitante clandestino. Se paró delante del escritorio destrozado y miró a través del hueco de la ventana. Frunció el ceño. Desde allí podía ver a cualquiera que pasara, aunque estuviera de espaldas, porque tenía un espejo en la columna de enfrente. El clavo aún estaba allí.

Volvió a la casa y se refugió en su habitación. Recostado en la cama, trató de desenmarañar sus pensamientos. No podía concentrarse ni reflexionar con sensatez. Se volteó y vio un botón niquelado en forma de dedal sobre la mesa de noche. Se levantó con pesadez y leyó la nota con el nombre: Margó. Reconoció la letra de Leonora.

En el pasillo divisó al ama de llaves que iba en dirección al cuarto de su madre. La vio detenerse, entrar y dejar la puerta abierta. Fue tras ella y cruzó el umbral. Ella sacó el joyero y lo puso sobre la cama. Genaro examinó cada una de las cinco gavetas y admiró la colección. En la primera, en el centro, estaba el botón emblemático de la maldad, idéntico al que él había recibido hacía una década. Se sentó y agachó la cabeza.

—Dime lo que sabes, Leonora.

—Sé que doña Margó coleccionaba botones.

—¿Y qué importancia tiene eso?

—No lo sé, pero cuando recibía paquetes de botones se asustaba.

—¿Mencionó quién los enviaba?

—No.

—¿Te solicitaba que hicieras gestiones especiales después de recibir los botones?, ¿entregar cartas, por ejemplo?

—A veces, sí.

—Leonora, ¿tienes familia fuera de Puerto Rico?

—Tengo una prima en el Bronx. ¿Por qué?

—Tienes que irte de aquí.

—¿Qué? —reaccionó alarmada.

—Esto es peligroso, Leonora. Te digo que tienes que irte de aquí.

Capítulo 77

A Carola se le espantó el sueño y perdió la tranquilidad desde que escuchó las murmuraciones sobre los arrestos inminentes de los sospechosos de iniciar el fuego. Se rumoraba sobre los implicados, pero uno de ellos estuvo charlando con ella y ambos salieron al mismo tiempo cuando empezó el corre y corre. Se negaba a creer que fueran culpables. Todo era confuso: el accidente de Adela y la imagen de Mabel cruzando el vestíbulo con un uniforme que no era el suyo no se apartaba de su mente. Por otra parte, el gerente de cocina no pasó por allí en toda la mañana, pero le pareció verlo en el casino. *¡No entiendo nada!* Se debatía entre ir a declarar o salir huyendo. *Si pudiera hacer una declaración anónima lo haría.* El miedo fue escalando hasta convertirse en pánico. No se atrevería hablarle a nadie. No sabía en quién confiar. Llamó a su hermano, en Connecticut, decidida a marcharse del país.

Capítulo 78

Genaro le encargó al chofer que llevara a Leonora a casa de Candole y que la recogiera en unos días y la llevara al aeropuerto. Los empleados no estaban y Claudia se había ido con una amiga. Se sentó al piano. Entristecido, apreció cada detalle de la sala. Las columnas y el techo de madera labrada, que eran la fascinación de su esposa, ahora eran solo objetos mustios. La lámpara escogida por ella parecía llorarla en cada lágrima de cristal Murano. Los cuadros y las fotos que contaban la historia de la familia y los detalles que antes fueron motivos de alegría al regresar al hogar, ahora le producían un dolor inaguantable. La amargura lo carcomía. Desechado por Big Brother y traicionado por su ayudante, se sentía tan inservible como el árbol de Navidad que, olvidado en una esquina, se secaba sin remedio.

Comenzó a tocar el *Claro de Luna.* A través de los ojos vidriosos las teclas transmutaban a figuras ambiguas. La madera negra lustrosa reflejaba las manos trémulas que se desplazaban por el teclado del piano antiguo que reproducía las notas con exquisita precisión. Genaro se acercaba al teclado y se retiraba, en un vaivén penoso. Los labios permanecían sellados y, a ratos, una mueca de dolor los tensaba aún más. En aquel instante supremo de amargura inconmensurable, las notas, como un lamento largo, se esparcían por el suelo, se prendían del aire y subían al techo, resbalaban por las paredes y las cortinas, y se adherían a los muebles, contagiando todo con un pesar que no tenía consuelo. Al terminar la pieza, Genaro levantó la vista para enfrentarse a la oscuridad que se había alojado en su espacio vital. Movió hacia un lado el atril y acarició la superficie del instrumento amado. Miró con ternura el cuadro familiar que adornaba la pared y, rendido, reclinó la cabeza sudorosa sobre los brazos cruzados.

Capítulo 79

Un rayo de sol la despertó. Al verse desnuda y con un hombre en la cama, se levantó horrorizada y corrió al baño. La jaqueca era irresistible y tenía náuseas. Intentó rememorar. Antonio la invitó a cenar y bebieron unas copas de vino. En su apartamento en el pueblo, él descorchó una botella de un oporto especial que compró para la ocasión. Recordó haberse sentido algo mareada, besos, caricias, las manos en los botones de su blusa, un débil forcejeo, la sensación de romperse por dentro, un grito ahogado, sueño, dolor, oscuridad. Era como si estuviera viendo una secuencia de escenas que se interrumpían, lo que dificultaba tener el cuadro completo de lo ocurrido. No quería creerlo, pero tuvo que hacerlo. Tenía sangre seca en la entrepierna y en los muslos. Sentía que la vida misma se le había roto desde el resquicio impensable de la vagina y la deshonra trastocaba su mundo. Le dolían las entrañas y la cabeza le quería estallar; supuso que eran los efectos del vino. No salía de su estupefacción. Que su primera vez se hubiese consumado de una forma tan grosera era humillante. Esperaba llegar virgen al matrimonio, según le enseñaron, y ya no podría ser. Todo por su falta de juicio, se recriminaba con dureza. Se juzgaba culpable y se percibía sucia. *¿Por qué me quedé sola con él? ¡Qué estúpida fui!* Pensó en su padre y se sintió avergonzada. Bajo la ducha, dio rienda suelta a un llanto cargado de culpabilidad. El jabón no borraba las marcas rojas en sus senos y muslos y el agua le ardía en la piel rota. Le costó mucho trabajo reunir valor para salir y enfrentarlo. Solo pudo articular unas pocas palabras.

—Llévame a casa, por favor —le pidió a Antonio con urgencia dolorosa.

238

—¿Por qué la prisa, cariño? Podemos quedarnos un rato más. —Antonio la convidaba a la cama.

—¡Quiero irme! —demandó con firmeza, sin atreverse a mirarlo. En el fondo tenía pavor de seguir allí con él después de lo sucedido.

Antonio se levantó y fue a ducharse. Indiferente al cataclismo que sacudía a la muchacha, llevaba en su andar decidido la soberbia de quien está acostumbrado a infringir las leyes y quedar impune. Sonreía con malicia. Rezumaba indecencia.

No cruzaron palabra en el camino. A Claudia la vergüenza se lo impedía. Antonio, por su parte, fumaba y se deleitaba en la remembranza. Le hubiera gustado un poco más de participación de su parte, pero no pudo ser pues se durmió con demasiada rapidez. *Aun así, qué banquete endiabladamente placentero.* La insolencia apuntalaba sus facciones.

Lo primero que Claudia vio al entrar fue a su padre en una postura inusitada. La piel se le erizó. Se acercó y le pidió la bendición. Al no obtener respuesta le tocó la espalda con suavidad. Se acercó y le susurró al oído para no asustarlo. Entonces supo. Se sentó a su lado y le acarició los cabellos canosos, lo abrazó y le pidió perdón, le dijo cuánto lo amaba y no pudo decir más porque quedó sin habla, mirando alrededor como si de pronto estuviese en un lugar desconocido. Quiso morir en aquella hora fatal en que toda la desventura del mundo caía sobre ella. Antonio, que fumaba y se recreaba en el paisaje, entró corriendo cuando escuchó los gritos.

Capítulo 80

$\mathcal{D}$os días después tuvieron otra jornada de velorio y entierro para don Genaro y Ciprián. La desolación de Claudia no podía ser mayor. Ni siquiera el apoyo de la multitud que la acompañó aquella tarde terrible la consoló. Leonora, que se había marchado, regresó al enterarse del fallecimiento de su patrón y se mantuvo con ella.

Antonio se fue a su apartamento en el pueblo y antes de subir se detuvo a comprar unas cervezas en el colmado. En la televisión reseñaban los acontecimientos más significativos de los inicios del año:

Se espera que en cualquier momento se lleven a cabo los arrestos contra tres empleados del Hotel Dupont, sospechosos del siniestro. En otras informaciones, el FBI asegura que están avanzando en la investigación del caso de la pareja de turistas europeos... La masacre del barrio se atribuye a la guerra por el control de los puntos de drogas... La Unidad de Investigaciones Especiales informó que localizaron un cadáver en estado de descomposición en un pastizal en Caguas. Se trata de un joven cuya edad se estima entre veinte a veinticinco y que no tenía identificación consigo. Las autoridades mencionaron el hallazgo de un papel con unas notas. No se dieron más detalles.

Por un momento quedó boquiabierto. No se le ocurrió hacerle un cacheo y ahora resultaba que tenía un papel con unas notas.

¡Qué cabrón el hijueputa! ¿Cómo voy a justificar semejante error? Big Brother ya debe estar enterado. Podría ser cualquier tontería. ¿Y si es alguna anotación codificada que me incrimine? ¿Sería un doble espía? Habrá que esperar para saber. ¡Jodido quemado cabrón!

242

Capítulo 81

Claudia no podía sacudirse el remordimiento de haber abandonado a su padre justo cuando este más la necesitaba. Pensar que murió solo la hacía sentir culpable y no hallaba sosiego. Lo imaginaba deambulando por la casa, compungido. Estaba segura de que había vuelto a intentar el *Claro de Luna* y de que habría llorado cada nota. Después del funeral se sumió en un mutismo del que fue difícil sacarla. No quería recibir a nadie, ni comer, mucho menos hablar. Leonora tuvo que llamar al médico de familia para que la ayudara a superar aquel trastorno. Temía por su vida.

Dos semanas más tarde, Claudia llamó a Antonio. No quiso verlo antes, pero necesitaba consultarle un asunto urgente. Caminaron hasta el vivero de las orquídeas. La visión que ofrecían era un estallido de colores espléndidos que parecían tener luz propia. Se sentaron a charlar en los bancos rústicos. A lo lejos, las montañas lucían desdibujadas por la neblina y soplaba un viento frío, cargado de humedad.

—Recibí esto. —Claudia le mostró a Antonio un sobre que contenía una nota.

Él miró el papel y frunció el ceño. Reconoció el emblema de la Fábrica de Botones.

—¿Algo más?

—Recibí una llamada.

—¿Quién era?

—Dijo llamarse Big Brother. Habló de unos cuerpos en el Salto Collazo que me pertenecen. También mencionó a una niña que va a quedarse aquí uno o dos días. Me advirtió que debo seguir las instrucciones, si no quiero terminar como papá. Y anunció que iba a contar con un aliado llamado *A number one*. Tengo miedo, Antonio.

—No te preocupes. Estoy contigo. —La abrazó y le acarició el cabello—. *A number one*, para servirte —le susurró al oído.

Claudia lo miró desconcertada. Quiso decir algo, pero las palabras se le congelaron en la garganta.

—La mocosa saldrá del país cuando él diga. Entretanto, hay que mantenerla oculta. No se le puede recortar ni pintar el cabello. Tiene que llegar como está a su destino, que no sabemos cuál es.

Claudia miró hacia la casa. Temprano en la mañana, mientras hacía la caminata por los jardines, le pareció distinguir, a través de uno de los cristales del segundo piso, un celaje escarlata.

—Nada que hacer; por lo pronto, seguir órdenes y asegurarte de que los botones codificados estén donde tienen que estar. Los uniformes seleccionados tienen que ajustarse de acuerdo a lo dispuesto en cada caso. Asuntos cruciales como la vida y la muerte, la guerra y la paz, penden de un botón.

Claudia no salía de su aturdimiento.

—Debes saber que la Fábrica de Botones solo recluta gente valiente, aguerrida, con ambiciones y, además, la retribución es considerable. Tú eres perfecta: eres incendiaria —manifestó en tono dramático.

—¿Incendiaria, yo?

—Sí, tú. Desde niña te gusta jugar con fuego. No puedes negarlo —murmuró Antonio.

245

Aquella expresión la catapultó en un viaje de regreso a su niñez. Volvió a ver a la abuela sentada en el jardín de las rosas. Prendía el cigarrillo con un fósforo, y al sacudirlo para apagarlo ella se acercaba porque le gustaba el olor del humo. Al menor despiste de ella sustraía una caja de cerillos y se encerraba en su cuarto. Frente al espejo, encendía uno y lo colocaba entre los dedos, como si estuviera fumando. Un día la llama la quemó y al sacudir la mano, asustada, una chispa cayó sobre el edredón y este empezó a arder. Ella corrió a buscar a Leonora, que, diestra en toda clase de tareas domésticas, lo apagó con una toalla mojada. Le hizo prometer al ama de llaves que no se lo diría a nadie. Según fue creciendo, el fuego continuó ejerciendo fascinación sobre ella. Le gustaba pasar tiempo en la cocina y se ofrecía, con gusto, a encender las hornillas.

Aquel día, Antonio le comentó que había dejado una cajetilla y un encendedor en el almacén. Ella quiso ir por ellos. Se cubrió la cabeza con la estola blanca y sonrió con picardía. Creyó que era una excusa para verse a hurtadillas, como en los breves encuentros anteriores. En esa ocasión no la siguió. Al verse sola aprovechó y encendió un cigarrillo. Estaba terminando de fumar cuando escuchó un ruido. Regresó asustada a la oficina del ayudante de su padre. Él llegó tras ella y en pocos minutos comenzaron las explosiones. Un fuerte estremecimiento la sacudió. Estaba segura de haber pisado la colilla, pero como todo era tan confuso y desconocía el resultado de la investigación, se sentía abrumada.

—Dios… —murmuró indefensa.

—¡Olvídalo! De aquí en adelante la Fábrica de Botones es el templo y Big Brother, Dios —declaró con firmeza.

246

Las palabras de Antonio al despedirse fueron como un despertar violento a la realidad. Sacó del bolsillo del abrigo un botón en forma de dedal: el sello de propiedad de la Fábrica de Botones. Su padre lo tenía en un puño cuando lo encontró muerto.

Con los últimos rayos del sol reflejados en la pintura lustrosa del recién adquirido Mustang Cobra amarillo, el auto parecía una llama en fuga. Mientras, las acacias florecidas que flanqueaban la entrada de la hacienda pavoneaban su estallido de luz ancladas en tierra.

Claudia se puso de pie con la mirada perdida. A medida que el sol se ocultaba en el horizonte, afloraba en ella la desesperanza. Se ajustó el abrigo y, con paso lento, caminó hacia la casa. Pronto iba a oscurecer.

Sandra Santana agarra con fuerza el batón de la mano de René Marqués, quien, en su icónico cuento "Dos vueltas de llave y un arcángel", nos presenta los horrores de la trata de menores. Por su parte, la autora de *La fábrica de botones* esboza la tragedia de este mal con delicados toques narrativos, que nos causan sobresaltos impredecibles. Esta novela, además de cumplir con honores su cuota de méritos literarios, se convierte en un documento que denuncia algunas de las atrocidades de nuestra sociedad.

Emilio del Carril

Botones mortales

Por José Borges

*C*uando un patrono desea disuadir a sus empleados de formar una unión, uno de los casos que usa a su favor es el fuego del Dupont Plaza en la víspera de Año Nuevo de 1986. En ese incendio murieron casi cien personas, muchas de ellas atrapadas porque las salidas de emergencia estaban obstruidas. La causa del siniestro fueron tres empleados unionados, molestos con las condiciones de empleo, que decidieron, según ellos, provocar un pequeño fuego. La sentencia fue de 99 años para dos de ellos y 75 años para el otro. El caso también provocó que se revisaran los códigos de prevención contra fuegos en los hoteles, ya que el Dupont Plaza operaba con un sistema de alarma que no servía, no tenía rociadores de agua y no contaba con suficientes salidas de emergencia, elementos que pudieron haberles salvado la vida a muchas de esas 96 personas. Curiosamente, los patronos omiten esta parte de la información cuando quieren espantar las nociones de una unión. Dentro del marco de este desastre, la puertorriqueña Sandra Santana traza la trama de la novela *La fábrica de botones*.

Ambientada pocos días antes del trágico incendio, la novela cuenta una historia alterna de los sucesos y los motivos por el cual el Dupont Plaza se prendió en fuego. Una organización misteriosa labora tras bastidores para influir en personas de alto poder, como congresistas y jueces. Entre las acciones que lleva a cabo se encuentran asesinatos, secuestros y hasta trata humana. Dicha trama se fractura entre las perspectivas de diferentes personajes, como El Boquilla y Fausto, dos sicarios que llevan a cabo las órdenes del misterioso Big Brother, que únicamente se comunica a través de conversaciones crípticas por teléfono móvil. Una de las responsabilidades de la pareja de sicarios es la transportación de una niña pelirroja, que estará a punto de convertirse en víctima de abuso sexual por encargo de alguna persona de poder.

Además, conoceremos a la familia de Claudia, cuyos padres son dueños de una fábrica de uniformes y parecen involucrados con Big Brother. Esta asociación tendrá repercusiones graves para la familia y resultará en la muerte de varios integrantes y asociados de ellos. El último elemento por mencionar son los misteriosos botones, que funcionan como advertencia (así como la mancha negra en *La isla del tesoro*, de Robert Louis Stevenson), además de mecanismo de muerte (algo así como opera SVR de Rusia, hoy día).

La fábrica de botones es una lectura rápida por la abundancia de diálogos, repleta de intrigas y traiciones, que se añade al acervo de la novela negra puertorriqueña. Trabaja, además, con muchos de los elementos sociales que se desarrollaron en el pasado y que hoy día pasan factura sobre nosotros, desde nuestros derechos laborales hasta el estado de nuestra actual sociedad.

jose.borges.escritor@gmail.com

La fábrica de botones
Sandra Santana
País Invisible Editores, 2018

Sandra Santana
(San Juan, Puerto Rico, 1961)

Es contadora, escritora, poeta, comunicadora, sindicalista y activista por los derechos humanos y de los trabajadores. Posee un bachillerato y una maestría en Administración de Empresas, con concentración en Contabilidad, de la Universidad Metropolitana (actualmente Universidad Ana G. Méndez) y la Universidad Interamericana, respectivamente. Además, ostenta una maestría en Creación Literaria, con concentración en Narrativa, de la Universidad del Sagrado Corazón, y en la que obtuvo la Medalla Pórtico por excelencia académica. Actualmente, cursa estudios conducentes a un doctorado, en el programa graduado de Estudios Hispánicos de la Universidad de Puerto Rico.

Se ha destacado como líder sindical. Fue la primera mujer electa como presidenta de la Unión de Contadores y Auditores Externos de la Corporación del Fondo del Seguro del Estado (CFSE), de 2004-2008. Fue también productora y conductora del programa radial Foro Social, de la Central Puertorriqueña de Trabajadores, de 2012 a 2016.

Es coautora del libro *Vivir del cuento*, la primera antología de estudiantes de la maestría en Creación Literaria, publicada en enero de 2009. Sus cuentos y poemas han sido publicados en antologías en y fuera de Puerto Rico.

Asimismo, Santana es moderadora del taller virtual Taller Poesía de Ciudad Seva desde 2014. Fue presidenta de la Cofradía de Escritores de Puerto Rico en 2015, y editora de la antología *Entre libros*. Fue electa como presidenta, por dos términos consecutivos, de PEN de Puerto Rico Internacional, la organización de escritores más antigua del país, de junio de 2016 a 2018. Regresó a dicho puesto en 2020 y reelecta en 2021 hasta 2022.

La fábrica de botones, su primera novela, ha sido presentada en y fuera de Puerto Rico, y fue premiada en el International Latino Book Awards 2019 y en PEN de Puerto Rico Internacional 2019.

Made in the USA
Monee, IL
30 August 2021